二十五史藝文經籍志

考補萃編

第十九卷

王承略　劉心明　主編

續唐書經籍志
〔清〕陳鱣　撰
陳錦春　整理

補五代史藝文志
〔清〕顧櫰三　撰
陳錦春　整理

五代史記補考藝文考
〔清〕徐炯　撰
陳錦春　整理

補五代史藝文志
〔清〕宋祖駿　撰
陳錦春　整理

補南唐藝文志
〔清〕汪之昌　撰
許建立　整理

清華大學
出版社　北京

圖書在版編目(CIP)數據

二十五史藝文經籍志考補萃編．第 19 卷/王承略，劉心明主編．—北京：清華大學
出版社，2013

ISBN 978-7-302-29856-4

Ⅰ.①二…　Ⅱ.①王…②劉…　Ⅲ.①中國歷史－古代史－紀傳體 ②《二十五
史》－研究　Ⅳ.①K204.1

中國版本國書館 CIP 數據核字(2012)第 197340 號

責任編輯：馬慶洲
封面設計：曲小華
責任校對：宋玉蓮
責任印製：楊　艷

出版發行：清華大學出版社
　　　　網　　址：http：//www.tup.com.cn，http：//www.wqbook.com
　　　　地　　址：北京清華大學學研大廈 A 座　　郵　編：100084
　　　　社　總　機：010-62770175　　　　　郵　購：010-62786544
　　　　投稿與讀者服務：010-62776969，c-service@tup.tsinghua.edu.cn
　　　　質　量　反　饋：010-62772015，zhiliang@tup.tsinghua.edu.cn
印　刷　者：清華大學印刷廠
裝　訂　者：三河市金元印裝有限公司
經　　　銷：全國新華書店
開　　本：148mm×210mm　　印　張：5.5　　字　數：135 千字
版　　次：2013 年 1 月第 1 版　　　　　印　次：2013 年 1 月第 1 次印刷
印　　數：1～2500
定　　價：29.00 元

產品編號：043546-01

目　　録

續唐書經籍志

[清] 陳 鱣 撰

陳錦春 整理

底本:清道光四年(1824)刻《續唐書》本

校本:《叢書集成初編》排印《史學叢書》本

　　自班書志藝文，而後各史皆不志藝文。唐于志寧等同修
《五代史志》，於是有《經籍志》，分經、史、子、集四部。攷晉秘書
監荀勗《中經薄》，一甲部，紀六藝及小學等書，二乙部，有古諸
子家、近世子家、兵書家、術數家。三丙部，有史記、舊事、皇覽
部、雜事。四丁部，有詩賦、圖讚、汲冢書。其例較劉歆之《七
略》、王儉之《七志》、阮孝緒之《七錄》爲近理。然以諸子家爲先
史記，而詩賦等下列汲冢書，次序未爲盡善，故《經籍志》依用之
而復變通之。《五代史志》三十卷，本屬別行，故《經籍志》中云：
"梁有若干卷。"後又編第入《隋書》，而世人但稱爲《隋志》耳。
《唐書·經籍志》、《新唐書·藝文志》並仍其例，惟是《舊》、《新》
二志，皆兼列唐以前之書，其篇目雖覺美富可觀，而實按之，則
係一代收藏之書，而非一代著作之書，殊乖斷代爲史之義。至
於《舊五代史》不志經籍一門，《新修五代史記》並不作志。雖爾
時歷年甚少，又當兵戈擾攘之際，作者寥寥，然如明宗之好文，
及南唐主之風雅，其臣下亦有工於著述，斐然可觀者，倘竟使文
獻無徵，寧非缺典？因網羅散失，補志經籍。

　　同光中，募民獻書及三百卷，授以試銜。其選調之官，每百
卷減一選。

　　天成中，遣都官郎中庾傳美訪圖書於蜀，得《九朝實錄》，及
雜書千餘卷而已。長興三年初，令國子監校九經，雕印賣之。

　　長興三年春二月，中書門下奏請依石經文字刻九經印版，
敕令國子監集博士儒徒，將西京石經本，各依所業本經句度，鈔
寫注出，子細看讀。然後雇實能雕字匠人，各部隨帙刻印敕本，
不得更使雜本交錯。其年四月，敕差太子賓客馬鎬、太常丞陳

觀、太常博士段顒、路航、尚書屯田員外郎田敏,充詳勘官。兼
委國子監於諸色選人中,召能書人,端楷寫出,旋付匠人雕刻。
每五百紙與減一選[①],如無選可減,等第俱與改轉官資。又敕:
近以編注石經,雕刻印版,委國學每經差專知業博士儒徒五六
人勘讀并注,今更於朝官內,別差五人,充詳勘官。太子賓客馬
鎬、太常丞陳觀、太常博士段顒、路航、屯田員外郎田敏等,朕以
正經事大,不同諸書,雖以委國學差官勘注,蓋緣文事極多,尚
恐偶有差誤。馬鎬以下,皆是碩儒,各專經業,更令詳勘,貴必
經研。兼宜國子監於諸色選人中,召能書人,謹楷寫出,旋付匠
人鏤刻。每五百紙,與減一選。所減等第,優與遷轉官資。時
宰相馮道,與同列李愚,委學官等取西京鄭覃所刻石經,雕爲印
版,流布天下,後進賴之。

　　保大二年,蜀廣政七年,其相毋昭裔按雍都舊本九經,命平
泉令張德釗書而刻諸石,蜀帥尚書右丞胡宗愈作堂以貯石經。
《周易》十卷,經二萬四千五十二字,注四萬一千七百九十二字,
共六萬五千八百四十四字,將仕郎守國子助教臣楊鈞、朝議郎
守國子《毛詩》博士上柱國臣孫逢吉書。廣政十四年,歲次辛亥
五月二十日書。《尚書》十二卷,經二萬六千二百八十六字,注
四萬八千九百八十二字,并《序》共八萬一千九百四十四字,將
仕郎試秘書郎臣周德貞書,鐫玉册官陳德超鐫。經文有"祥"
字,皆缺其畫。亦缺"民"字之類,蓋孟氏未判唐時所刊也。《毛
詩》二十卷,經四萬一千二十一字,注十萬五千七百一十九字,
共一十四萬六千七百四十字,將仕郎試秘書省校書郎孫朋吉
書。經文"淵"、"民"、"察"三字缺畫,"察"爲孟知祥祖諱。《周

　　① 文淵閣四庫全書本及上海古籍出版社 1978 年版點校本《五代會要》卷八均作:
"每日五紙,與減一選",此處疑誤。

禮》十二卷，經五萬五百八字，注十一萬二千五百九十五字，共一十六萬三千一百三字，將仕郎試秘書省校書郎孫朋吉書。《儀禮》十七卷，經五萬二千八百二字，注七萬七千八百九十一字，共一十三萬六百九十三字，將仕郎試秘書省校書郎張紹文書。《禮記》二十卷，經九萬八千五百四十五字，注一十萬六千四十九字，共二十萬四千五百九十四字，將仕郎試秘書省校書郎張紹文書。卷首題曰"御删定《禮記·月令》第一，集賢院學士尚書右僕射兼右相吏部尚書修國史上柱國晉國公臣林甫奉敕注"，《曲禮》爲第二，蓋唐明皇删定之本也。《春秋經傳集解》三十卷，《序》一千六百一十七字，經、傳一十九萬七千二百六十五字，注一十四萬六千九百六十二字，共二十四萬五千八百四十四字，不題所書人姓名，亦無年月。按文不缺唐諱而缺"祥"字，當是孟知祥僭位後刊石也。《公羊傳》十二卷，傳四萬四千七百三十八字，注七萬七千三十七字，共一十二萬一千七百七十五字，不題所書人姓名。《穀梁傳》十二卷，傳四萬一千八百九十字，注三萬九千七百三十字，共八萬一千六百二十字，不題所書人姓名。《論語》十卷，《序》三百七十二字，經一萬五千九百一十三字，注一萬九千四百五十四字，共三萬五千七百三十九字，將仕郎前守簡州平泉令兼殿中侍御史賜緋魚袋張德釗書，潁川郡陳德謙鎸字，廣政七年四月九日校勘。《孝經》一卷，《序》四百三十九字，經一千七百九十八字，注二千七百四十八字，共四千九百八十五字，簡州平泉令張德釗書，潁川郡陳德謙鎸字，廣政七年書。《爾雅》三卷，不題經注字數，將仕郎前守簡州平泉令賜緋魚袋張德釗書，武令昇鎸，廣政七年書。以上諸經，皆蜀相毋昭裔捐俸依太和舊本琢石於學宮。蓋《論語》、《孝經》、《爾雅》先成，故題廣政七年。而《周易》等在後，故題廣政十四年。凡歷八年，其石千數。昭裔獨辦之，固已可嘉。又能按雍都舊本，命能書者寫之而刻諸石，尤偉績也。惟《公羊》、《穀梁》二傳，乃後代補完耳。

保大六年，漢乾祐元年閏五月，國子監奏雕印版九經內，有《周禮》、《儀禮》、《公羊》、《穀梁》四經，未有印版，今欲集賢官校勘四經文字鏤版。從之。是時禮部司徒調請開獻書之路，凡儒學之士，衣冠舊族，有以三館亡書來上者，計其卷帙，賜之金帛，數多者授以官秩。時戎虜猾夏之後，官族轉徙，書籍罕存，詔下，鮮有應者。

保大十四年，周廣順三年夏六月，尚書左丞兼判國子監事田敏進印版九經《五經文字》、《九經字樣》各二部，一百三十冊。奏曰："臣等自長興三年，校勘雕印九經書籍，經注繁多，年代殊遠，傳寫紕繆，漸失根原。臣守官膠庠，職司校定。旁求援據，上備雕鐫。幸遇聖明，克終盛事。播文德於有截，傳世教於無窮。謹具陳進。"先是，後唐宰相馮道、李愚重經學，因言漢時崇儒，有《三字石經》。唐時亦於國學刊刻。今朝廷日不暇給，無能別有刊立。常見吳、蜀之人，鬻印版文字，色類甚多，終不及經典。如經典校定，雕摹流行，深益於文教矣，乃奏聞。敕下儒官田敏等考校經注。敏於經注，長於《詩》、《傳》，攷訂刊正，援引證據，聯爲篇卷，先經奏定而後雕刻。乃分政事堂廚錢，及諸司公用錢。又納及第舉人禮錢，以給工人。賜敏襲衣繒綵銀器，并賜司業趙銖襲衣繒彩。時樊倫爲國子司業，田敏判國子監，獻印版九經書流行，而儒官數多是非論，掇拾舛誤，訟於執政。又言敏擅用賣書錢千萬，請下吏訊詰。樞密使王峻素聞敏大儒，左右之，密訊其事搆致無狀。然於其書，至今是非未悉。

保大十八年，周顯德二年春二月，中書門下奏，國子監祭酒尹拙狀稱，準敕校勘《經典釋文》三十卷，雕造印版。欲請兵部

尚書張昭、太常卿田敏同校勘。敕:《經典釋文》已經本監官員
校勘外,宜差張昭、田敏詳校。是時以史館書籍尚少,鋭意求
訪,凡獻書者,悉加優賜,以誘致之。而民間之書,傳寫舛誤,乃
選常參官三十人,校讎刊正,令於卷末,署其名銜焉。自諸國分
據,皆聚典籍,惟吴、蜀爲多,而江左頗爲精真,亦多修述。後主
二年,宋乾德元年,平荆南,盡收其圖書,以實三館。後二年,平
蜀,遣右拾遺孫逢吉往收其圖籍,凡得書萬三千卷。又明年,下
詔購募亡書,三禮涉弼、三傳彭幹、學究朱載等,皆詣闕獻書,合
千二百二十八卷,詔分置書府,弼等並賜以科名。閏八月,詔史
館,凡吏民有以書籍來獻,當視其篇目,館中無者收之,獻書人
送學士院試問吏理。堪任職官者,具名以聞。開寳八年,平江
南,遣太子洗馬吕龜祥就金陵籍其圖書,得二萬餘卷,悉送
史館。

甲部經録

石經周易王弼注十卷　周易略例邢璹注一卷蜀守國子助教楊鈞、守國
子毛詩孫逢吉書。

周易口訣義六卷河南史徵譔。

周易甘棠正義三十卷梁陝州大都督府左司馬任正一譔。

易軌一卷蜀蒲乾貫譔。

易題□卷①蜀右拾遺蒲臺張道古譔。

周易會釋記二十卷吳僧陸希覺譔。

麻衣道者正易心法一卷周河中許堅譔。

易龍圖一卷周處士真原陳摶譔。

易論三十二卷周處士河中許堅譔。

　　　右易類

石經尚書孔傳十三卷蜀秘書朗周德貞書。

尚書廣疏十八卷蜀馮繼元譔。

　　　右書類

石經毛詩傳鄭箋二十卷蜀秘書省校書郎孫朋吉書。

毛詩疑義一卷無名氏譔。

　　　右詩類

石經周禮鄭注十二卷蜀秘書省校書郎孫逢吉書。

石經儀禮鄭注十七卷蜀秘書省校書郎張紹文書。

---

① “□卷”，顧櫰三《補五代史藝文志》作“十卷”。

石經禮記鄭注二十卷_{蜀秘書省校書郎張紹文書。}

三禮圖二十卷_{周國子司業聶崇義纂集。}

禮經釋_{無卷數。南唐教授黃載撰。}

　　右禮類

石經春秋經傳集解杜預注三十卷_{蜀無名氏書。}

石經春秋公羊傳何休注三十卷_{蜀無名氏書。}

春秋折中論三十卷_{江西從事陳岳撰。}

石經春秋穀梁傳范寧注十二卷_{蜀無名氏書。}

春秋指掌十五卷_{試左武衛兵曹李瑾撰。}

春秋指掌圖二卷_{□融撰。}

春秋名號歸一圖二卷_{蜀馮繼元撰。}

春秋傳帖經新義十卷_{蜀進士寒遵品撰。}

春秋纂例_{無卷數。南唐姜虔嗣撰。}

春秋音義賦十卷　春秋字原賦二卷_{晉少府監長安尹玉羽撰。}

　　右春秋類

石經論語何晏集解十卷_{蜀簡州平泉令兼殿中侍御史張德釗書。}

論語井田義圖_{無卷數。無名氏撰。}

　　右論語類

石經孝經唐玄宗注一卷_{蜀簡州平泉令張德釗書。}

石刻三經書孝經一卷_{蜀校書郎華陽甸中正摹。}

別序孝經一卷　越王孝經新義八卷　皇靈孝經一卷　孝經雌

　　圖三卷_{周顯德六年，高麗遣使進。}

右孝經類

石經爾雅郭璞注三卷蜀簡州平泉令張德釗書。

爾雅音略三卷蜀太子太師龍門毋昭裔撰。

蜀爾雅三卷蜀無名氏撰。

右爾雅類

詳定經典釋文三十卷周國子祭酒尹拙等校勘。

右羣經類

大周正樂一百二十卷周翰林學士竇儼撰。

樂苑五卷無名氏撰。

補新徵音譜無卷數。　大唐正聲琴籍十卷南漢吏部郎中連州陳用拙撰。

琴譜二卷梁王邈撰。

琴調一卷　阮咸譜一卷　小胡笳子十九拍一卷南唐蔡翼撰。

周優人曲辭二卷周吏部侍郎趙上交等纂錄。

右樂類

説文解字繫傳四十卷南唐秘書省校書郎徐鍇傳釋，校書郎朱翺反切。

説文解字韻譜十卷南唐秘書省校書郎徐鍇撰。

英公字原一卷南唐僧夢英撰。

林氏小説二十卷蜀太尉林罕撰。

汗簡三卷　目録叙略一卷　佩觿三卷周宗正丞兼國子書學博士洛陽郭忠恕撰。

斥顔師古正俗七篇吳越僧贊寧撰。

右小學類

乙部史録

漢書校記無卷數。南唐中書舍人常州張佖譔。

後漢書辨駁無卷數。楚水部員外郎連州石文德譔。

唐書二百卷晉司空同中書門下平章事劉昫等譔。

　　右正史類

歷代年譜二卷南唐秘書省校書郎徐鍇譔。

續通曆十卷荊南節度副使檢校秘書少監試御史中丞富春孫光憲譔。

續帝王鏡略一卷蜀馮鑑譔。

兩漢至唐年紀一卷宗正少卿李匡文譔。

唐統紀一百卷吳中書舍人翰林學士陳濬譔。

唐年通録六十五卷晉史館修撰鉅鹿賈緯譔。

　　右編年類

宣宗懿宗僖宗昭宗四朝實録無卷數。長興三年，準史館奏修。

獻祖懿祖太祖紀年録史官張昭遠等修。

莊宗實録三十卷監修趙鳳、史官張昭遠等譔。

明宗實録三十卷監修姚顗、史官張昭遠等譔。

末帝實録十七卷史官張昭遠等譔。

烈祖實録二十卷　元宗實録二十卷南唐校書郎兼太常修撰幽州高遠譔。

　　右實録類

梁太祖實録三十卷梁吏部侍郎李琪等譔。

朱梁興創遺編二十卷梁宰相敬翔譔。

蜀高祖實録三十卷蜀監修官李昊譔。

蜀後主實錄八十卷蜀監修官李昊撰。

王氏開國記十卷蜀史官修撰辛寅遜撰。

前蜀書四十卷蜀監修國史李昊等撰。

前蜀記事二卷蜀文思殿大學士毛文錫撰。

後蜀記事十卷蜀直史館太常博士董淳撰。

廣政雜錄無卷數。後蜀普州軍事判官何光遠撰。

成都理亂記八卷前應靈令句延慶撰。

閩中實錄十卷周揚州永貞令蔣文懌撰。

閩王列傳一卷閩秘書監晉江陳致雍撰。

閩王事跡一卷閩無名氏撰。

三楚新錄三卷桂州修仁令周羽沖撰。

湖南故事十卷無名氏撰。

五國故事二卷吳越無名氏撰。

晉高祖實錄三十卷　　出帝實錄二十卷晉監修竇正固等撰。

漢高祖實錄十七卷漢監修蘇逢吉等撰。

漢隱帝實錄十五卷漢史官張昭等撰。

周太祖實錄三十卷周史官張昭等撰。

周世宗實錄四十卷周監修官王溥等撰。

右僞史類

唐功臣列傳三十卷平章事兼修國史李愚等修。

金鑾密記五卷翰林學士韓偓撰。

唐春秋三十卷南唐著作郎郭昭慶撰。

大唐補記三卷南唐程匡柔撰。

大唐新纂十三卷楚水部員外郎石文德撰。

開元天寶遺事四卷周太子少師王仁裕撰。

僖昭莊三朝聞見錄八卷无名氏撰。

莊宗召禍記一卷①中書舍人黃彬撰。

中朝故事二卷南唐給事中尉遲偓撰。

南唐烈祖開基誌十卷南唐滁州刺史王鉉撰。

南唐近事三卷　江表志三卷南唐校書郎鄭文寶撰。

江南錄十卷南唐翰林學士徐鉉等撰。

江南餘載二卷南唐無名氏撰。

釣磯立談一卷南唐校書郎史虛白撰。

吳錄二十卷南唐史館修撰高遠等撰。

吳錄二十卷吳中書舍人翰林學士陳濬撰。

汭上英雄小錄二卷吳信都□鎬撰。②

江淮異人錄二卷南唐內史吳淑撰。

金華子雜編三卷南唐大理司直劉崇遠撰。

廣陵妖亂志三卷　乾寧會稽錄一卷晉陽鄭廷誨撰。

汴水滔天錄一卷左拾遺王振撰。

耳目記二卷劉氏撰。

燉煌新錄一卷沙州傳舍無名氏撰。

渚宮故事十卷周太子校書郎余知古撰。

蜀桂堂編事二十卷　要錄十卷蜀楊九齡撰。

經緯略一百卷蜀監修國史李昊撰。

前蜀十在一卷蜀員外郎林犀著。

北史治亂記蜀內侍監嚴遵美撰。

吳越備史九卷吳越掌書記范坰、巡官林禹撰。

忠懿王勳業志　錢氏戊申英政錄無卷數。吳越安撫使錢儼撰。

---

① "召"原誤作"台"，今據《宋史·藝文志》改。
② "□"，《叢書集成初編》排印《史學叢書》本(以下稱"《叢書集成初編》本")同。案《直齋書錄解題》卷五、《文獻通考·經籍考》、《通志·藝文略》著錄皆無"□"字。

晉太康平吳記一卷周吏部尚書張昭譔。

晉朝陷蕃記四卷晉翰林范質譔。

賈氏談録一卷南唐中書舍人張泊述。

賈氏備史六卷漢諫議大夫賈譚譔。

　　右雜史類

制敕新編三十卷御史中丞盧損等編。

國典無卷數。南唐内史舍人徐鍇譔。

雜説一百篇南唐後主譔。

咸通後麻制一卷蜀翰林學士毛文晏譔。

書儀二卷太常卿劉岳等刪定。

長興制集四卷無名氏譔。

顯德制詔一卷無名氏譔。

中華古今注三卷太常卿馬縞譔。

典儀三卷梁中書侍郎張策譔。

梁宣底八卷無名氏譔。

書目一卷蜀主王衍譔。

坤儀令一卷蜀主王衍譔。

青宮載筆二十卷　金行啓運録二十卷蜀翰林學士庾傳昌譔。

史館故事録三卷周史官譔。

玉堂閒話無卷數。周太子少師王仁裕譔。

江南登科記一卷南唐進士樂史譔。

五禮儀鑑無卷數。　曲臺奏議二十卷周秘書監陳致雍譔。

均田圖一卷晉崔頌譔。

　　右政事類

大中統類十二卷後唐以前行用，無名氏譔。

唐朝格式律令二百八十六卷_{定州王都進。}

同光刑律統類十三卷_{刑部尚書盧億纂集。}

刪定格令五十卷_{吳王楊行密詔修刪定。}

昇元條三十卷_{南唐烈祖詔法官及尚書刪定。}

梁新定格式律令一百三卷_{梁太常卿李燕重刊定。}

刑律總要十二卷_{梁大理卿李保殷撰。}

疑獄三卷_{晉中書侍郎同中書門下平章事和凝撰。}

重定法書一百四十八卷_{周侍御史盧億等同議定。}

大周刑統二十一卷_{周御史知雜事張湜等編集。}

大周續編二卷_{周侍御史盧億等撰。}

　　右法令類

秦中歲時記一卷　輦下歲時記一卷_{膳部郎中李綽撰。}

歲華紀麗四卷_{韓諤撰。}

歲時廣記_{無卷數。南唐內史舍人徐鍇撰。}

　　右時令類

地里指掌圖一卷_{蜀祝安禮撰。}

方輿記一百二十卷_{南唐內史舍人徐鍇撰。}

嶺表錄異三卷_{廣州司馬劉恂撰。}

蜀程記一卷　峽程記一卷_{蜀平章事韋莊撰。}

洞天福地記一卷　青城山記一卷　武夷山記一卷_{蜀崇真館大學士杜}
　光庭撰。

南行記三卷_{周王仁裕撰。}

浙海潮論　兼明錄二篇_{吳越僧贊寧撰。}

海外使程廣記三卷_{南唐如京使章僚撰。}

　　右地里類

丙部子録

法語二十卷_{南唐進士劉謵撰。}

質論十餘篇_{南唐内史舍人徐鍇撰。}

格言五卷　後述三卷_{南唐中書侍郎韓熙載撰。}

孝悌録二十卷　唐孝悌録十五卷_{南唐進士樂史撰。}

　　右儒家類

道德經疏節解四卷_{蜀諫議大夫知制誥喬諷撰。}

陰符經注一卷　廣成義八十卷_{蜀崇真館大學士杜光庭撰。}

參同契分章通真義三卷　明鏡圖訣一卷_{後蜀守尚書祠部員外郎彭曉撰。}

化書六卷_{南唐譚峭撰。}

三要三篇_{南漢尚書左僕射黃損撰。}

　　右道家類

致禮書十卷_{唐宰相朱朴撰。}

雜説二卷_{南唐後主撰。}

治書五十篇_{南唐著作郎郭昭慶撰。}

長短經十卷_{蜀梓州趙蕤撰。}

兼明書五卷_{太學博士邱光廷撰。}

東壁出言三卷_{蜀翰林學士毛文晏撰。}

讀古闕文一卷_{南唐宰相孫晟撰。}

癖書十卷_{南唐處士陳陶撰。}

兩同書二卷　靈璧子十卷　淮海寓言七卷　讒書五卷_{吳越掌書記羅隱撰。}

章子三卷_{吳越蘇州刺史章魯封撰。}

駁董仲舒春秋繁露二篇　難王充論衡三篇　證蔡邕獨斷四篇_吳越僧贊寧撰。

質疑論_{無卷數。南唐翰林學士徐鉉撰。}

漆經□卷^①_{楚幕府朱遵度撰。}

百悔經_{無卷數。閩鳳閣散人劉乙撰。}

自然經五卷_{晉少府監尹玉羽撰。}

　　右雜家類

三水小牘三卷_{魯山令皇甫枚撰。}

雲仙散録一卷_{金城馮贄撰。}

耳目記一卷_{劉氏撰。}

秘閣閒談五卷_{南唐翰林學士徐鉉撰。}

稽神録六卷_{南唐翰林學士徐鉉撰。}

開顏集三卷_{校書郎周文規撰。}

唐摭言十五卷_{南漢中書侍郎同平章事王定保撰。}

廣摭言十五卷_{南唐鄉貢進士何晦撰。}

紀聞談三卷_{蜀潘遠撰。}

野人閒話□卷^②_{後蜀景煥撰。}

續野人閒話□卷^③_{無名氏撰。}

鑑戒録十卷_{後蜀普州軍事判官何光遠撰。}

録異記八卷_{蜀崇真館大學士杜光庭撰。}

---

　　①　"□卷",《叢書集成初編》本同,《通志·藝文略》、《宋史·藝文志》並作三卷,當據改。

　　②　"□卷",《叢書集成初編》本同,《通志·藝文略》、《文獻通考·經籍考》、《宋史·藝文志》並作五卷,當據改。

　　③　"□卷",《叢書集成初編》本同,《直齋書録解題》卷十一、《文獻通考·經籍考》、《宋史·藝文志》並作二卷,當據改。

虬鬚客傳一卷蜀崇真館大學士杜光庭譔。

金坡遺事　逢辰録　奉藩書均無卷數。吳越世子錢惟演譔。

青雲總録　青雲新録　南部新書　洞微志一百三十卷吳越錢
易譔。

皮氏見聞録五卷　妖怪録五卷吳越丞相皮光業譔。

葆光録三卷吳越陳纂撰。

資談六十卷吳越蘇州推官范質譔。

金鑾聞談十二卷閩殿中侍御史劉山甫譔。

北夢瑣言二十卷荊南黃州刺史孫光憲譔。

晉陽見聞録無卷數。北漢中書舍人王保衡譔。

王氏見聞録□卷　入洛記一卷周太子少師王仁鑾譔。

右小説家類

花經一卷吳張翊譔。

茶譜一卷蜀文思殿大學士毛文錫譔。

竹譜三卷吳越世子錢昱譔。

筍譜十卷吳越僧贊寧譔。

水族加恩簿一卷吳越功德判官毛勝譔。

蠶書無卷數。荊南黃州刺史孫光憲譔。

右農家類

青羅立成曆四卷唐司天監朱奉奏上。

齊政曆無卷數。南唐曆官譔。

中正曆無卷數。南唐曆官陳承勳譔。

武成永昌曆二卷　正象曆經一卷蜀司天監胡秀林譔。

極衍一卷後蜀司天監周傑譔。

調元曆二十一卷晉司天監趙仁錡等譔。

顯德欽天曆十五卷_{晉端明殿學士王朴撰。}

　　右陰陽家類

筆訣三卷_{後蜀綿竹隱士姜道撰。}

古君臣象三卷_{後蜀翰林祗候張玫撰。}

會禽圖一卷_{後蜀黃居寶撰。}

射書十五卷_{南唐內史舍人徐鍇撰。}

射法一卷_{南漢尚書左僕射黃損撰。}

金谷園九局譜一卷_{南漢翰林學士徐鉉撰。}

　　右藝術類

事類賦三十卷_{南唐內史吳淑撰。}

古今韻會五百卷_{後蜀起居舍人陳諤撰。}

四庫韻對四十卷_{後蜀起居舍人陳諤撰。}

備忘小鈔十卷_{後蜀文谷撰。}

續事始五卷_{蜀馮鑑撰。}

鴻漸學記一千卷　羣書麗藻一千卷_{楚幕府朱遵度撰。}

尚食掌食典一百卷_{後蜀無名氏撰。}

諸史提要十五卷_{吳越錢端禮撰。}

蒙求二卷_{晉翰林學士李瀚撰。}

清異錄四卷_{晉翰林承旨陶穀撰。}

　　右類書類

食性本草三卷_{南唐陳士良撰。}

蜀本草圖經二十卷_{後蜀翰林學士韓保昇撰。}

本草括要詩三卷_{後蜀張文懿撰。}

寶藏暢微論三卷^①南漢軒轅述撰。

　　右醫家類

六壬翠羽歌一卷長興中，僧令岑撰。

六壬軍鑒式三卷　太乙時紀陰陽二遯立成曆二卷南漢胡萬頃撰。

增補玉管照神經十卷南唐丞相宋齊邱撰。

希夷先生龜鑑一卷周處士陳搏撰。

　　右術數類

胎息秘訣一卷唐僧遵化撰。

論氣正訣一卷南唐國子祭酒何溥撰。

王氏神仙傳四卷　墉城集仙録十卷　崇道記一卷　混元圖十
　卷　傳受年載記一卷　元門樞要十卷　道門樞要一卷　兼
　明書十二卷　仙傳拾遺四十卷　規書一卷　道教靈驗記二
　十卷　歷代帝王崇道記一卷　古今類聚年譜圖一卷　東瀛
　子一卷蜀崇真館大學士杜光庭撰。

還丹歌一卷蜀朱通儼撰。

太平經十三篇吳道士閭邱方遠詮。

宗鏡録一百卷　抱一子一卷　心賦一卷　感通賦一卷吳越僧延
　壽撰。

三教事跡無卷數。吳越僧贊寧與道士韓德純仝撰。

高僧傳三十卷　鷲嶺聖賢録一百卷　僧史略三卷吳越僧贊寧撰。

舍利塔記一卷南唐户部侍郎高越撰。

佛國記無卷數。周禮部尚書馬裔孫纂。

　　右仙釋類

---

① “寶”，原誤作“寳”，據《郡齋讀書志•後志》卷二、《文獻通考》卷二百二十二改。

丁部集録

李後主集十卷<small>南唐後主撰。</small>

紫府集<small>千餘首，無卷數。秦王從榮撰。</small>

詩集四卷<small>唐宰相朱朴撰。</small>

文集三卷<small>太學博士邱光廷撰。</small>

金門集十卷<small>太子少傅李琪撰。</small>

白沙集十卷<small>中書侍郎同平章事李愚撰。</small>

鼎國詩三卷<small>後唐李雄撰。</small>

政餘集五卷<small>魏博節度使羅紹威撰。</small>

盧士衡集一卷<small>同光中，進士盧士衡撰。</small>

閣中集十卷<small>南唐梁王徐知諤撰。</small>

鍾山集二十卷<small>南唐司徒李建勳撰。</small>

祀元集三卷<small>南唐丞相宋齊丘撰。</small>

文集六卷<small>南唐丞相宋齊丘撰。</small>

擬議集十五卷　定居集二卷<small>南唐中書舍人韓熙載撰。</small>

文集五卷<small>南唐右僕射孫晟撰。</small>

滎陽集十卷<small>南唐中書舍人潘祐撰。</small>

衡山集七卷<small>南唐連州刺史廖凝撰。</small>

文集十五卷　詩一卷<small>南唐中書舍人張泊撰。</small>

徐常侍集三十卷<small>南唐翰林學士徐鉉撰。內二十卷，仕江南時作。</small>

徐舍人集十卷<small>南唐中書舍人徐鍇撰。</small>

梅嶺集五卷<small>南唐進士成彥雄撰。</small>

四六集一卷<small>南唐田霖撰。</small>

虛白文集<small>無卷數。南唐處士史虛白撰。</small>

陽春集一卷<small>南唐平章事馮延巳撰。</small>

金鼇集二卷南唐水部員外郎前楚零陵從事孟賓于撰。

覽古詩一卷南唐朱存撰。

伍喬詩一卷南唐考功員外郎伍喬撰。

碧雲集二卷南唐淦陽令李中撰。

陳嵩伯詩十卷南唐處士陳陶撰。

處士集無卷數。南唐梁藻撰。

孟一之詩一卷南唐孟貫撰。

鍾山集一卷南唐王偓撰。

詩集一卷南唐江爲撰。

唐風集三卷吳翰林學士杜荀鶴撰。

小東里集三卷　廣東里集四十卷吳知制誥游恭撰。

登龍集十卷　從軍稿二十卷　筆耕二十卷　冥搜集二十卷吳翰林學士殷文圭撰。

孫伯魚集三卷吳宗正郎孫舫撰。

沈子文詩一卷吳秘書郎沈彬撰。

啓霸集三十卷吳朱潯撰。

百一集二十卷吳周延禧撰。

聲書十卷　解聲書五卷　陵陽集五卷　大紀賦一卷吳翰林學士沈顏撰。

詞制歌詩二十卷　牋表三十卷梁中書侍郎張策撰。

表奏十卷梁宰相敬翔撰。

歌詩三卷　集三十卷蜀給事中牛嶠撰。

西園集十卷　昌城後寓集十五卷蜀翰林學士毛文晏撰。

玉堂集二十卷蜀翰林學士庾傳昌撰。

玉堂集無卷數。蜀學士劉贊撰。

瓊瑤集無卷數。蜀李恂撰。

浣花集五卷　集二十卷　箋表一卷蜀平章事韋莊撰。

羅子善詩十卷<small>蜀給事中羅延讓撰。</small>

龍吟集三卷　懷秦賦一卷　南冠集　長樂集十卷<small>蜀司徒同平章事馮涓撰。</small>

張濱詩一卷<small>蜀司徒同平章事張濱撰。</small>

樞機應用集二十卷<small>後蜀弘文館大學士李昊撰。</small>

擬白居易諷諫詩一卷<small>後蜀門下侍郎歐陽迥撰。</small>

唐隱居詩一卷<small>蜀處士唐求撰。</small>

桂香集一卷<small>南漢尚書僕射黃損撰。</small>

詩集八卷<small>南漢吏部郎中陳用拙撰。</small>

廖贊禹集一卷<small>楚天策府學士廖匡圖撰。</small>

表狀一卷<small>楚天策府學士李宏皋撰。</small>

徐東野集一百卷<small>楚天策府學士徐仲雅撰。</small>

劉休明集一卷<small>楚天策府學士劉昭禹撰。</small>

錦樓集一卷<small>三百篇。吳越國王錢元瓘撰。</small>

政本集十卷<small>吳越國王錢俶撰。</small>

前集五十卷　後集五十卷　貴谿叟自序述傳一卷　貳卿文稿二十卷<small>吳越彰武軍節度使錢儼撰。</small>

金閨瀛州西垣制集一百五十卷<small>吳越知制誥錢易撰。</small>

典懿集三十卷<small>吳越世子錢惟演撰。</small>

吳江應用集二十卷<small>吳越丞相林鼎撰。</small>

吳越掌記集三卷　江南甲乙集十卷　江東後集二卷　湘南應用集三卷<small>吳越掌書記羅隱撰。</small>

鹿門家鈔詩咏<small>無卷數。吳越丞相府判官皮璨撰。</small>

內庭集一卷　香奩集一卷<small>閩寓公前翰林學士韓偓撰。</small>

中壘集　白巖集十卷<small>閩散騎常侍鄭良士撰。</small>

泉山秀句集三十卷<small>閩節度推官黃滔撰。</small>

表記奏牘三百篇<small>閩殿中侍御史陳嶠撰。</small>

探龍集一卷　釣磯集八卷　賦五卷閩掌書記徐寅撰。

荆臺隱士文集一卷荆南前進士梁震撰。

荆臺集　橘齋集　玩筆傭集　鞏湖編均無卷數。荆南節度使孫光憲撰。

武庫集五十卷晉少府監尹玉羽撰。

丁年集無卷數。晉翰林學士李瀚撰。

屠龍集五卷　南金集五卷晉右諫議熊皎撰。

賦一卷晉宰相桑維翰撰。

鄭雲叟詩三卷晉處士鄭邈撰。

法喜集無卷數。周禮部尚書馬裔孫撰。

游藝集五十卷　演論集五十卷　和成績集一百卷周侍中和凝撰。

扈仲熙集十卷周翰林學士扈載撰。

乘輅集五卷①　西江集一百卷周太子少師王仁裕撰。

文集十卷周翰林承旨陶穀撰。

艸堂集三十卷周修撰賈緯撰。

馮道集十卷周宰相馮道撰。

宮詞一卷蜀花蘂夫人撰。

廣成集一百卷　壺中集一百卷蜀道士杜光庭撰。

禪月集二十五卷　臣岳集一千首蜀僧貫休撰。

處默詩一卷蜀僧處默撰。

玉壘集十卷楚僧可朋撰。

碧雲集一卷楚僧虛中撰。

內典集一百五十卷　外學集四十九卷吳越僧贊寧撰。

白蓮集十卷荆南僧齊已撰。

---

① 按,《宋史·藝文志》作"乘輅集五卷",另有《紫閣集》十二卷。

右別集類

諫書八十卷_{大唐直臣編。}

諫奏集七卷_{南唐勤政殿學士張易纂。}

玉堂遺範三十卷_{太子少傅李琪編。}

東漢文類三十卷_{竇儼編。}

唐諫諍集十卷_{蜀職方員外郎趙元恭纂。}

蜀國文英八卷_{蜀學士劉贊編。}

賦苑二百卷_{南唐中書舍人徐鍇編。}

續本事詩三卷_{吳處常子纂。}

國風總類五十卷_{周太子少師王仁裕編。}

煙花集五卷_{蜀主王衍集。}

又元集三卷_{蜀平章事韋莊編。}

廖氏家集一卷_{楚天策府學士廖光圖編。}

才調集十卷_{蜀監察御史韋縠編。}

十僧詩選_{無卷數。唐無名氏編。}

花閒集十卷_{後蜀衛尉少卿趙崇祚編。}

右總集類

補五代史藝文志

〔清〕顧櫰三 撰

陳錦春 整理

底本：清光緒十七年（1891）廣雅書局刻本

校本：1955 年中華書局影印開明書店排印《二十五史補編》本

序

　　學校者，國家之矩範，人倫之基址也。唐末大亂，干戈相尋，海寓鼎沸，斯民不復見《詩》、《書》禮樂之化，而橋門璧水，鞠爲茂草。一時稱王稱帝者，狗偷鼠竊，負乘致戎，何暇馳驅藝文之林，攬轡道德之府，彬彬郁郁，久道化成乎？蓋圖書之厄，至此極矣。天祐斯文，不絕如縷，其時深心好古之士，摧鋒幕府，對揚王庭，莫不截楮晨鈔，然脂瞑誦。蜀母昭裔創爲鏤板，遂有《九經》、《文選》之刻。而楚天策學士彭玕，亦遣人入洛訪求石經。天成中，仿唐石經製作印板於國子監。其後屢下購書之令。至廣順中，而板本流布，經籍盛行，俾學者無筆札之勞，獲觀古人全書。雖衰朝之創興，實萬世之良法也。竊謂文章之盛衰，可以卜世運之興替。南唐跨有江淮，鳩集墳典。後主開弘文館，置《詩》、《易》博士，於秦淮設國子監，橫經齒胄者千餘人。後復置廬山國學，所統州縣亦往往立學。方是時，廢立如吳越，殺逆如南漢，叛親如閩、楚，而南唐兄弟輯睦，君臣乂安，衣冠文物甲於中原，不可謂非好文之效也。宋乾德元年，平荆南，詔收高氏圖籍，以實三館。三年，命右拾遺孫逢吉往西川取蜀法物圖籍，得書萬三千卷。開寶九年，平江南，命太子洗馬呂龜祥就金陵籍圖書，得書十餘萬卷，分配三館及學士舍人院。其書校讎精審，編帙完具，與他國書不同。而趙元考家藏有澄心堂書三千卷，上有建業文房之印。錢俶歸朝，遣使收其圖籍，悉送館閣。凡此皆五代圖籍之可考者也。然迄今觀《崇文總目》及《宋史》所載，無從區別爲五代諸國所藏之書，今僅據五代人所自爲書，廣爲搜輯，倣前史經、史、子、集例，分類而條列之，名曰《藝文志》云爾。

石經

石經舊在務本坊，天祐中，韓建築新城，而石經委棄於野。至
朱梁時，劉鄩鎮守長安，從幕吏尹玉羽之請，輦入長安城中，
置唐尚書省之西隅。

右本宋黎持《移石經記》。此唐開成石經。

孟蜀廣政十四年，冬十月，詔勒諸經於石。祕書郎張紹文寫
《毛詩》、《儀禮》、《禮記》，祕書省校書郎孫朋古寫《周禮》，國
子博士孫逢吉寫《周易》，校書郎周德政寫《尚書》，簡州平泉
令張德昭寫《爾雅》，字皆精謹。

案晁公武《讀書志》所載，有《蜀石經周易》十三卷、《石
經尚書》十三卷、《石經毛詩》二十卷、《石經周禮》二十卷、
《石經禮記》二十卷、《石經左氏傳》二十卷、《石經論語》十
卷。又《志》載《論語》爲張德鈞書，可補吳任臣《十國春
秋·後蜀主本紀》之缺。而范成大《石經本末紀》，則以爲
張德昭書。

彭玕，廬陵人。事楚，涖全州刺史。通《左氏春秋》，嘗募求西
京石經，厚賜以金。揚州人爲之語曰："十金易一筆，百金易
一篇，況得士乎？"

雕板九經

天成二年三月，太常丞段永請國子監五經博士各講本經，以重橫經齒胄之義。

長興三年二月，中書門下奏請依石經文字刻九經印板，敕令國子監集博士生徒，將西京石經本，各以所業本經廣爲鈔寫，子細校讀，然後雇召能雕字匠人，各部隨帙刻印，廣頒天下。

《馮道傳》：道以諸經舛謬，與同列李愚，委學官田敏等，取西京鄭覃所刊石經，雕爲印板，流布天下。其國子監五經印板，則太常博士李鍔所書也。

長興三年，命太子賓客馬縞等，充詳勘九經官。於諸選人中，召能書者寫付雕匠，每日五紙。

開運元年三月，國子監祭酒田敏，以印本《五經》進。

> 案《玉海・藝文部》作“田敏以印本《五經字樣》二部進，凡一百三十册。”

乾祐元年五月，己酉朔，國子監奏《周禮》、《儀禮》、《穀梁》、《公羊》四經未有印板，欲集學官考校雕造。從之。

廣順三年，尚書左丞田敏以印板《九經》進。

《和凝傳》：凝有集百餘卷，自鏤板行世。

> 案此爲刻詩文集之始。

蜀母昭裔貧賤時，嘗假《文選》於交游間，其人有難色，因發憤，異日若貴，當鏤板以貽學士。後仕蜀爲宰相，出私財百萬，刻《九經》及《文選》、《初學記》、《白孔六帖》行世。

> 案馬端臨《文獻通考・經籍門》以爲刻書始於後唐馮道，而沈存中《筆談》、孔平仲《説苑》、王仲言《揮麈録》、陶岳《五代史補》并同。然考《猗覺寮雜記》云“雕印字唐以前無之，唐末益州始有墨本”，而《石林燕語》則謂唐柳玭《訓叙》中和三年在蜀見字書雕本，是唐時已有印板矣。至《河

汾燕閒録》又謂隋開皇十二年十二月，救遺經廢像悉令雕撰。_{案此自指佛經。}王新城尚書引之以爲刊書之所自始。然則雕板書固肇於隋，行於唐，擴於五代，精於宋，信如胡應麟之説無疑也。郎瑛《七修類稾》又謂唐時不過間有一二，至馮道雕印五經，由是典籍皆爲板本。當五代亂離之際，而墳典流布，嘉惠後學，天之不絶斯文，信矣夫！

易軌□卷　蒲虔軌撰。

易題十卷　張道古撰。

周易甘棠正義三十卷　任貞撰。

易龍圖一卷　陳搏撰。

青城山人蓍揲歌一卷　不著撰人姓名。

易論三十三篇　王昭素撰。

尚書廣疏十八卷　馮繼先撰。

尚書小疏十三卷　同上。

古今尚書釋文一卷　郭忠恕撰。

春秋折衷三十卷　陳岳撰。

春秋名號歸一圖二卷　馮繼先撰。

春秋名字異同五卷　同上。

春秋王伯世紀十卷　李琪撰。案焦竑《國史經籍志》作"三卷"。

左傳杜注駁正一卷　倪從進撰。

孝經雌圖一卷　皇靈孝經一卷　別序孝經一卷　越王孝經新義一卷　以上并顯德中日本國僧奝然所進。案《文昌雜録》，《別序》者，記孔子所生，及弟子從學之事。《新義》者，以越王爲問目，釋《疏》文之義。《皇靈》者，止説延年避蔺之事及符文，乃道書也。《雌圖》者，止説日之環量，星之彗字，亦非奇書。又案相傳日本係徐福之後，福爲始皇求安期、羨門，挾童男女入海，並載中國書籍。聞《子夏易傳》真本尚在。近鮑氏廷博由海舶購得孔安國《孝經注》，前有太宰純《序》，刊入《知不足齋叢書》内。又山井鼎《七經孟子考》校讎精審，阮芸臺所著《十三經校勘記》亦時采用其説。

爾雅音略三卷 <small>母昭裔撰。</small>

經典釋文十卷 <small>張昭遠撰。</small>

九經文字一卷 <small>同上。</small>

國子監校刊五經一百三十卷

右經部，三百零四卷。

天成元年九月，命郎中庾傳美充三州搜訪圖籍使。傳美，王衍之舊僚，上言成都具有本朝《實錄》。及傳美使回，所得纔《九朝實錄》，及他殘缺雜書而已。

長興二年五月，知制誥崔梲上言，請搜訪宣宗以來野史，以備編修。從之。

三年十一月，史館奏：昨爲大中以來，迄於天祐，四朝實錄尚未纂修，尋具奏聞，謹行購募。敕命雖頒於數月，圖書未貢於一編。蓋以北土州城，久罹兵火，遂成絕滅，難以訪求。竊恐歲月既深，耳目不接，長爲闕典，過在攸司。伏念江左列藩，湖南奧壤，至於閩越，方屬勳賢，戈鋋日擾於中原，屏翰悉全於外府，固已富有羣書，伏乞詔旨，委各於本道采訪宣宗、懿宗、僖宗、昭宗以來逐朝日曆、銀臺事宜、內外制詞、百司沿革籍簿，不限卷數，據有者鈔錄進獻。若民間收得，或隱士撰成，即令各列姓名，請議爵賞。

天福四年十一月，史館奏請，令宰臣一人撰錄《時政記》，逐時以備撰述。從之。

六年，監修國史趙瑩奏：自李朝喪亂，迨五十年，四海沸騰，兩都淪覆。今之書府，百無二三。臣等近奉綸言，俾令撰述。褒貶或從於新意，纂修須案於舊章。既闕簡編，先虞陋略。今據史館所闕《唐書實錄》，請下敕命購求。況咸通中，宰臣韋保衡與蔣伸、皇甫焕撰武宗、宣宗兩朝、《實錄》，皆遇多事，

或值播遷。雖聞撰述，未見流傳。其韋保衡、裴贄合有子孫
見居職任，或門生故吏曾記纂修，聞此討論，諒多欣愜。請下
三京諸道，及内外臣僚，凡有將此數朝《實錄》詣闕進納，量其
文武才能，不拘資地，除授一官。如卷帙不足，據數進納，亦
請不次獎酬，以勸來者。自會昌至天祐，垂六十年，其初李德
裕平上黨，著武宗伐叛之書，其後康承訓定徐方，有武甯本末
之傳。如此事迹，記述頗多，請下中外臣僚及名儒宿學，有於
此六十年内撰述得傳記，及中書銀臺、史館日曆、制敕書等，
不限年月多少，并許詣闕進納。如年月稍多，記録詳備，特行
簡拔，不限資叙。

顯德三年十二月，詔曰：史館所少書籍，宜令本館諸處求訪補
填。如有收得書籍之家，并許進書人據部帙多少等第，各與
恩澤。如是卷帙少者，量與金帛。如館内已有之書，不在進
納之限，仍委中書門下，於朝官内選差三十人，據見在書籍，
各有真本校勘，署校官姓名，逐月具功課申報。

舊唐書二百卷 劉昫撰。

舊五代史一百五十卷 薛居正撰。案薛《史》雖成於宋，然居正當顯德中已爲吏
部尚書，紀、傳所載，多屬親見，故附入五代。

五代通録六十五卷 范質撰。

五代紀七十五卷 孫沖撰。

五朝春秋二十五卷 王軫撰。

史系二十卷 賈緯撰。

備史六卷 同上。

唐年補録六十五卷 同上。案《五代會要》起居賈緯奏曰：“伏以唐高祖至代宗
已有紀傳，僖宗亦存《實錄》，武宗至濟陰廢帝凡六代，惟存《武宗實錄》一卷，餘皆闕
略。臣今搜訪遺聞，及耆老傳説，編成六十五卷，目爲《唐朝補遺録》，以便將來史官
撰述。”

梁列傳十五卷 張昭撰。

後唐列傳三十卷　同上。

梁太祖實錄二十卷　張袞、郗象等撰。

末帝實錄十卷　張昭撰。

唐懿祖紀年錄一卷　獻祖紀年錄一卷　太祖紀年錄二十卷

　　莊宗實錄三十卷　並張昭遠等撰。天成三年十二月，左補闕張昭遠狀："嘗讀
國書，伏見懿皇帝自元和之初，獻祖文皇帝於太和之際，立功王室，陳力國朝。武皇
帝自咸通後來勤王，戮力薊平多難，頻立大功，三換節旄，再安京邑。莊宗皇帝終平
大敦，①奄有中原。儻闕編修，遂成湮墜。請與當館修撰，參序條綱，撰《太祖莊宗實
錄》。"四年七月，監修趙鳳奏："伏以凡關纂述，務合品題。承乾御宇之君，行事方云
實錄。追尊冊號之帝，約文祇爲紀年。請自莊宗一朝名爲《實錄》，其太祖以上，并目
爲《紀年》。"從之。

唐明宗實錄三十卷　姚顗、張昭遠、李祥、吳永範、楊昭檢等撰。

唐愍帝實錄三卷　唐廢帝實錄十七卷　并張昭遠撰。顯德四年正月，兵
部尚書張昭上言："奉詔編修《太祖實錄》及梁、唐二末主《實錄》，竊以梁末帝之上，有
郢王友珪纂弒居位，未有紀錄，請依《宋書》劉邵例，書爲'元凶友珪'，其末主請依古
義，書曰'後梁實錄'。又唐末帝之前有應順帝，在位四月，出奔於衛，亦未編紀，請修
《閔帝實錄》。其《清泰帝實錄》請爲《廢帝實錄》。"從之。

晉高祖實錄三十卷　少帝實錄二十卷　并竇貞固、賈緯、竇儼、王伸等撰。

漢高祖實錄十卷　蘇逢吉等撰。

漢隱帝實錄十五卷　并張昭遠、尹拙、劉溫叟等撰。

周太祖實錄三十卷　同上。薛《史》張昭上言："伏以撰《漢書》者先爲項籍，編《蜀
紀》者首序劉璋，貴神器之傳授有因，曆數之推遷得序。伏緣漢隱帝君臨在太祖之
前，其歷試之績并在隱帝朝，請先修《漢隱帝實錄》，以全太祖之事。"

周世宗實錄四十卷　王溥等撰。

顯德日曆一

右史部，共九百二十九卷。

---

①　"敦"，《二十五史補編》本作"愍"。

楊吴氏本紀六卷　陳濟撰。

揖讓録七卷　同上。

吴録二十卷　徐鉉、高遠、喬舜、潘祐等撰。

沘上英雄小録三卷　信都鎬撰。

吴書實録三卷　記楊行密事，不著作者。

邗溝要略九卷　**南唐烈祖實録二十卷**　**元宗實録十卷**　并高遠撰。

吴將佐録一卷

高帝過江事實一卷

江南餘載二卷　不著作者。

江南録十卷　徐鉉、湯悦撰。

江南野史一卷　鄭龍衮撰。

江表志一卷　同上。

南唐近事一卷　鄭仁寶撰。

南唐開基志十卷　王顔撰。

帝唐書十五卷　許載撰。

吴唐拾遺録十卷　同上。

金陵事實三卷　錢惟演撰。

蜀書二十卷　**後蜀高祖實録三十卷**　**後主實録四十卷**　**蜀祖經緯略一百卷**　**前蜀書四十卷**　并李昊撰。

續錦里耆舊傳十卷　張緒撰。

前蜀王氏記事二卷　毛文錫撰。

後蜀孟氏記事三卷　董淳撰。

金行啓運録二十卷　庾傅昌撰。

鑑戒録三卷　**廣政雜録三卷**　何光遠撰。

蜀廣政雜録十五卷　蒲仁裕撰。

吴越備史十五卷　錢儼託名范坰、林禹撰。

備史遺事五卷　錢儼撰。

乾寧會稽録一卷　記董昌之叛，不著作者。

錢俶貢奉録一卷　家王遺事二卷　錢氏慶系圖二卷　奉藩書十卷　并錢惟演撰。

戊申英政録一卷　忠懿王勳業志二卷　並錢儼撰。

湖湘事迹一卷

三楚新録一卷

渚宮故事十卷

湖南故事十三卷

高氏世家十卷　以上并不著作者。

三楚新録三卷　周羽沖撰。

楚録五卷　盧臧撰。

渤海行年紀十卷　曾顏撰。

湖湘馬氏故事二十卷　曹衍撰。

荆湘近事十卷　陶岳撰。

閩中實録十卷　蔣文懌撰。

王氏解運圖三卷　林仁志撰。

閩王審知傳一卷　陳致雍撰。

閩王事迹一卷　不著作者。

晉陽聞見録一卷　王保衡撰。

劉氏興亡録一卷　胡賓撰。

廣王事迹一卷

五國故事一卷

十國載記三卷　並不著作者。

大原事迹雜記十三卷　李璋撰。

許國公勤王録三卷　李巨川撰。記歧王李茂貞事。

太康平吳録二卷　張昭撰。

右霸史類，共五百八十一卷。

汴水滔天録一卷　王振撰。

朱梁興創遺編二十卷　敬翔撰。

莊宗召禍記一卷。　黃彬撰。

幽懿録一卷　叙晉出帝陷虜事，不著作者。

開運陷虜事迹一卷　不著作者。

晉朝陷蕃記一卷　桑維翰傳一卷　并范質撰。

陷遼記一卷　胡嶠撰。

新野史十卷　題"顯德元年，終南山不名子撰。"

英雄佐命録一卷

世宗征淮録一卷

濠洲干戈録一卷　并不著作者。

後史補三卷　高若拙撰。

大唐補記三卷　南唐程匡撰。

大唐實録撰聖記一百二十卷　陳岳撰。

續劉軻帝王照略三卷①　蜀馮鑑撰。

正史雜編十卷　五運録十二卷　并蜀楊九齡撰。

歷代年譜一卷　曹圭撰。

五代史初要十卷　歐陽頠撰。

續皇王寶運録十卷　韋昭度撰。

唐春秋三十卷　郭昭慶撰。

史槀雜著一百卷　高遠撰。

續通歷十卷　孫光憲撰。

運歷圖三卷　龔穎撰。

三朝見聞録一卷　不著作者。

---

① "照"，《郡齋讀書志·後志》卷一。《文獻通考》卷一九三均作"鏡"。《直齋書録解題》卷四作"照"。作"照"乃避宋諱。

中朝故事二卷　尉遲偓撰。

帝王年代州郡長曆二卷　杜光庭撰。

右雜史類,共三百六十卷。

李襲吉　表狀三卷　案李襲吉,武皇記室,以書檄擅名一時。

敬翔　表奏集十卷

李巨川　啓狀二卷

馬郁　表狀一卷　案郁,劉仁恭記室,有盛名。

黃台　江西表狀二卷

王紹顏　軍書十卷

毛文晏　雜制詔集二十一卷　咸通後麻制三卷

朱梁宣底八卷　制誥二卷

後唐麻槀三卷

長興制集四卷

江南制集七卷

彭霽　啓狀二卷

羅貫　啓狀二卷

梁震　表狀一卷

李宏皋　表狀一卷

韋莊　箋表一卷　諫草二卷

羅隱　湘南應用集三卷　吳越掌記集三卷　啓事一卷

林鼎　吳江應用集二十卷

孫光憲　筆傭十卷

李昊　樞機集二十卷

商文圭　從軍槀二十卷

張易　諫奏集七卷

王昭遠　禁垣備對十卷

杜光庭　歷代忠諫書五卷　諫書八十卷

趙元珙輯　唐諫諍論十卷　唐諫諍集十卷

右表狀類，共二百八十四卷。

梁令三十卷

梁式二十卷

梁格十卷

梁循資格一卷　郗殷象撰。

後唐格令三十二卷

後唐統類目一卷

後唐旁通開元格一卷

天成長定格一卷

天成雜敕三卷

新編制敕三十卷　清泰三年，御史中丞盧損等，請擇清泰元年以前十一年制敕，

可悠久施行者，三百九十四道，編爲三十卷，詔付御史臺頒行。

天福編敕三十一卷

律準一卷　王朴撰。

顯德刑統二十卷　張昭撰。

疑獄集三卷　和凝撰。

刑統目一卷

刑律總要十二卷

刑律統類十卷　姜虔嗣撰。

楊吳删定格五十卷

江南删定條三十卷

昇元格令條八十卷

蜀雜制三卷

右格令類，共三百七十卷。

朱梁南郊儀注一卷　梁祭地祇陰陽儀注三卷　五禮儀鑑曲臺
　奏議二十卷　五禮鏡儀六卷　寢祀儀一卷　州縣祭祀儀一
卷　并陳致雍撰。

州郡鄉飲酒注儀一卷　長興三年，太常草定。

新定書儀二卷　天成二年，劉岳奉詔撰。

玉堂儀範三十卷　李琪撰。

郊望論一卷　周彬撰。

坤儀令一卷　大周通禮二百卷　并竇儼撰。

續唐會要一百卷[①]　五代會要三十卷　并王溥撰。

吳南郊圖記一卷　蜀禮部文場內舉人儀則一卷　黃籙齋壇真
　文玉訣儀一卷　醮章奏議十八卷　靈寶明真齋懺鐙儀一卷
　太上河圖內元經襘菑九壇醮儀一卷　靈寶自然行道儀一卷
　　并杜光庭撰。

右儀注類，共四百二十二卷。

大周正樂譜八十八卷　竇儼撰。

周優人曲辭二卷　歷代樂歌六卷　并趙上交撰。

樂賦一卷　王朴撰。

蜀疋樂三十卷

聲韻譜一卷　句中正撰。

大唐正聲琴譜十卷

補新徵音一卷　陳用拙撰。

國風總類五十卷　王仁裕撰。

---

①　據《崇文總目》及《文獻通考·經籍考》，書名無"續"字。宋祖駿《補五代史藝文
志》加注説明，并删"續"字。

霓裳譜一卷 李後主周后撰。

豔詞一卷 蜀後主王衍集。

華間集十卷 裴説集唐人詞。案孫氏《書目》題作"蜀人趙崇祚編"。

宮詞一卷 花蕊夫人撰。

南唐二主詞一卷

陽春詞一卷 馮延巳撰。

右聲樂類，共二百四卷。

説文解字繫傳四十卷　説文解字韻譜十卷　通輯五音一千卷
并徐鍇撰。案吳任臣《十國春秋》別有徐楚金《説文解字通釋》四十卷，不知《通釋》即《繫傳·通釋》三十卷，《部叙》二卷，《袪妄》、《類聚》、《錯綜》、《疑義》、《系述》各一卷，總名之《繫傳》。自吳氏始悞分爲二書。

補説文解字三十卷 僧曇域撰。

切韻搜玉二卷 劉熙古撰。

義訓十卷 竇儼撰。

佩觿三卷 郭忠恕撰。**汗簡集二卷　辨字圖四卷　歸字圖一卷
　正字賦一卷**并同上。

林氏字説二十篇　偏旁小説一卷 林罕撰。

書林韻會一百卷 蜀孟昶撰。

續古闕文一卷 孫晟撰。

右小學類，共一千二百二十五卷。

**同光乙酉長曆十卷　晉天福調元曆二十三卷　調元曆經二卷
　調元曆立成十二卷　調元曆草八卷**并馬重續撰。

周廣順明元曆一卷 王處訥撰。

**顯德欽天曆十五卷　欽天曆經二卷　欽天曆立成六卷　欽天
曆草三卷　顯德三年七政細行曆一卷**并王朴撰。

小曆二卷　唐曹士蒍撰。五代時，馬重績本其法爲《調元曆》。

宣明曆二卷

宣明曆立成八卷

宣明曆略要一卷

崇元曆經三卷

崇元曆立成七卷　案梁初猶用《宣明》、《崇元》二曆，至馬重績造新曆，晉高祖命司天少監趙仁錡、張文皓，天文參謀趙延乂、杜昇、杜崇龜等，取《宣明》、《調元》二曆，與新曆參考得失，頒行新曆，而二曆廢不行。

蜀武成永昌曆三卷①

南唐保大齊政曆三卷

胡秀林　正象曆經一卷

陳承勳　中正曆經一卷　中正曆立成九卷

胡萬頃　太乙時紀陰陽二遁曆立成二卷

右曆算類，共一百二十五卷。

趙瑩　君臣康教論二十五卷　興政論一卷

韓熙載　格言五卷格言後述三卷　皇極要覽十卷

錢俶　政本十卷

徐鉉　質論一卷

黃損　三要五卷

邱光庭　康教論一卷　規書一卷　兼明書十二卷

徐融　帝王指要三卷

宋齊邱　理訓十卷

李琪　皇王大政論一卷

劉鄂　法語二十卷

---

①　“武成”，原誤作“武城”，《二十五史補編》同，據歐陽修《新五代史·前蜀世家》、《宋史·藝文志》、宋祖駿《補五代史藝文志》改正。

黃訥　家誡一卷

郭昭慶　治書五十篇　經國治民論二卷

王敏　太平書十卷

劉子通論五卷

牛希濟　理源二卷　治書十卷

右儒家類，共一百八十八卷。

雕板道德經二卷　和凝撰新序，天福中頒行。

三家老子音義一卷　徐鉉注。

道德經疏義節解二卷　喬諷撰。

道德經義疏十卷　僧文儻注。

道德經廣聖義疏三十卷　杜光庭注。

汪老君説十卷　緱嶺會真傳一卷　歷代帝王崇道記一卷　道
　經傳授年載記一卷　玄門樞要一卷　道門樞要一卷　道敎
　神驗記二十卷　王氏神仙傳一卷　聖祖歷代瑞見圖三卷
　洞天福地記一卷　東瀛子一卷　墉城集仙録十卷　混元圖
　十卷　三敎論一卷　大質論一卷同上。

補注莊子十卷　張昭撰。

玉管照神局二卷　天華經三卷　宋齊邱僞託。

太玄金闕三洞八景陰陽仙班朝會圖五卷　孫光憲撰。

賓仙傳三卷　何光遠撰。

問政先生聶君傳一卷　徐鍇撰。

神和子傳一卷　指元論一卷①　赤松子八誡録一卷　九室指元
　一卷　并陳希夷撰。

---

　　①　"指元論"，《二十五史補編》本同，宋祖駿《補五代史藝文志》作"指元傳"。按，
《通志·藝文略》作"指元篇"。

怡神論一卷　<small>申天師撰。</small>

參同契分章通真義三卷　明鏡圖一卷　<small>彭曉撰。</small>

心賦注一卷　<small>僧延壽撰。</small>

抱一子注一卷　<small>同上。</small>

自然經五卷　<small>尹玉羽撰。</small>

洞微志一百三十卷　<small>錢易撰。</small>

太玄經注三卷　<small>張易撰。</small>

極衍二十四卷　<small>周傑撰。</small>

湘湖神仙顯異傳三卷　<small>曹衍撰。</small>

譚子化書六卷　<small>譚峭撰。</small>

演玄十卷　<small>許洞撰。</small>

右道家類,共三百二十四卷。

異僧記一卷

鷲嶺聖賢錄一百卷　<small>僧贊寧撰。</small>

要言二卷　通論十卷　<small>同上。</small>

華嚴經八十二卷　<small>閩支提山。</small>

看經贊一卷　法喜集二卷　佛國記十卷　<small>馬裔孫撰。</small>

舍利塔記一卷　<small>高越撰。</small>

宗鏡錄一百卷　感通錄一卷　<small>僧延壽撰。</small>

高僧傳三十卷

續寶林傳四卷　<small>閩僧寶閏撰。</small>

石刻金剛經一卷　<small>蜀刻。</small>

金字佛書一卷　<small>司徒詡書。</small>

金字心經一卷　<small>李後主妃黃保儀施。</small>

右釋氏類,共三百四十七卷。

閩外春秋十卷　<small>李筌撰。</small>

陰符經注一卷 同上。

人事軍律一卷 符彥卿撰。

五行陣圖一卷 同上。

制旨兵法十卷 張昭撰。

六壬軍法鑒式三卷 胡萬頃撰。

歲時廣記一百二十卷 徐鍇撰。

蠶書三卷 孫光憲撰。

茶譜三卷 毛文錫撰。

物類相感志一卷 僧贊寧撰。

四時纂要十卷 韓鄂撰。

霧居子五卷 不著作者。

續事始五卷 馮鑑撰。

中華古今注三卷 馬縞撰。

右雜家類，共一百六十六卷。

要術一卷 陳元京撰。案元京家世爲醫，長興中，集平生所驗方七十件，修合藥法百
　　件，號曰《要術》，刊石置太原府之左。

意醫紀歷一卷 吳羣撰。

廣政集靈寶方一百卷 羅普宣撰。

產保方三卷 周挺撰。[①]

保童方一卷 同上。

增注蜀本草圖經二十卷 韓保昇撰。

脈訣二册 題“高陽生撰，劉元賓和歌”，見孫氏《書目》。

㮈經一卷 朱遵度撰。

---

　　① 《產寶》二卷，唐咎殷撰於宣宗初，而周頲序論於昭宗乾寧四年，故此處書名、著
者皆誤，且係唐人著作，當從五代藝文志剔除。

人倫風鑑一卷　陳希夷撰。

墨經一卷　李廷珪撰。

墨圖一卷　同上。

棊經圖義例一卷　徐鉉撰。

棊勢三卷　同上。

繫蒙小葉子格一卷　李後主周后撰。

偏金葉子格一卷　小葉子例一卷　同上。

梁朝畫目三卷　胡嶠撰。

繪禽圖經一卷　黃居寶撰。

古君臣象三卷　張玫撰。

筆訣三卷　姜道隱撰　射法一卷　黃損撰。　射書五卷　徐鉉撰。

右技術類，共一百五十卷。

梁朝天下郡縣目一卷

新定十道圖三十卷

重修河隄圖二卷　長興四年，濮州進。① 沿河地名，歷歷可數。

均田圖一卷　唐元積撰。顯德中，頒行天下。

水利編三卷　王章撰。

契丹地圖一卷　長興三年，契丹東丹王突欲進。

于闐國程錄一卷　高居誨撰。

海外使程廣記三卷　南唐章僚使高麗所記。

南詔錄三卷　徐雲虔撰。

燉煌新錄一卷

蜀程記一卷　韋莊撰。

---

　　① “濮”，原作“黃”，《二十五史補編》本同，據薛居正《舊五代史·明宗紀》、宋祖駿《補五代史藝文志》改。

峽程記一卷　同上。

入洛記一卷　王仁裕撰。

南行記一卷　同上。

奉使兩浙雜記一卷　沈立撰。

大梁夷門記一卷　王權撰。

弔梁郊賦一卷　張策撰。

汴州記卷　邱光庭撰。

海潮論一卷　海潮記一卷　同上。

吳越石壁記一卷　錢鏐撰。

九華山記二卷　僧應物撰。

九華山舊録一卷　同上。

武夷山記一卷　杜光庭撰。

續成都記一卷　青城山記一卷　同上。

禹別九州賦三卷　趙鄰幾撰。

方輿記一百三十卷　徐鍇撰。

地理指掌圖一卷　税安禮撰。

地理手鏡十卷　劉鷙撰。

右輿地類,共二百七卷。

開天遺事一卷　王仁裕撰。

玉堂閒話三卷　金華子雜編四卷^①　見聞録三卷　唐末見聞録
　　八卷　入洛私書一卷　同上。

金鑾密記一卷　韓偓撰。

廣陵妖亂志一卷　鄭廷晦撰。

唐末汎聞録一卷　閶自若撰。

---

　　①　"金華子雜編四卷",乃南唐劉崇遠撰,見《四庫全書》,作三卷,不應夾雜於王仁
裕諸書之列,當刪除,因下文另有著録"金華子新編三卷"。

唐摭言十五卷　王定保撰。

廣摭言十五卷　何晦撰。

金華子新編三卷　劉崇遠撰。

北夢瑣言三十卷　孫光憲撰。

貽子録一卷　同上。

無名氏　耳目記一卷

唐新纂三卷　石文德撰。

妖怪録五卷　皮光業撰。

皮氏見聞録十三卷　啓顏録六卷　三餘外志三卷　同上。

國朝舊事四十卷　王溥撰。

集説二卷　同上。

北司治亂記十卷　嚴遵美撰。①

顯德二年小録二卷

史館故事三卷

忠烈圖一卷　徐温客纂輯。

孝義圖一卷　同上。

江淮異人録一卷　吳淑撰。

李後主　雜説二卷

稽神録六卷　徐鉉撰。

清異録六卷　陶榖撰。

賓朋宴語一卷　丘旭撰。

雜説一卷　盧言撰。

五代登科記一卷　除鍇撰。

登科記五卷　不著作者。

符彥卿家譜一卷

---

　①　"遵"，原作"道"，《二十五史補編》本同，據唐孫光憲《北夢瑣言》卷十、宋祖駿《補五代史藝文志》改。

釣磯立談二卷 　史虚白撰。

紀聞譚三卷 　潘遺撰。

野人閒話五卷 　景煥撰。

葆光録三卷 　陳纂撰。

兩同書二卷 　羅隱撰。

南楚新聞三卷 　尉遲樞撰。

虬須客傳一卷 　杜光庭撰。

録異記十卷 　同上。

靈怪實録三卷 　曹衍撰。

備忘小鈔十卷 　文谷撰。①

警戒録五卷 　周挺撰。

報應録三卷 　王霰撰。

資談六十卷 　范贊時撰。②

宋齊邱文傳十三卷

陳金鳳傳一卷

玉泉子見聞真録五卷

入洛私書十卷 　江文秉傳。

聲書十卷 　沈顏撰。

解聲十五卷 　同上。

鯏子一卷 　趙鄰幾撰。

羣居解頤三卷 　高擇撰。

三感志三卷 　楊九齡撰。

滑稽集一卷 　錢易撰。

---

　　①　"谷"，原作"口"，《二十五史補編》本同，據《郡齋讀書志》、《宋史·藝文志》、宋祖駿《補五代史藝文志》補。

　　②　"時"，原作"然"，據《通志·藝文略》、《十國春秋》卷八十八改。

南部新書十卷　同上。

筆述二十卷　王朴撰。

竹譜三卷　錢昱撰。

筍譜十卷　僧贊寧撰。

右小説類，共四百一十六卷。

羣書麗藻一千卷　目五十卷　朱遵度撰。

鴻漸學記一千卷　同上。

古今語要十二卷　喬舜封撰。

桂香詩一卷　同上。

古今國典一百卷　徐鍇輯。

古今書録四十卷　母昭裔撰。

蜀王建書目一卷

十九代史目二卷　舒雅撰。

經史目録七卷　楊九齡撰。

名苑五十卷　桂堂編事二十卷　要録十卷　同上。

歷代鴻名録八卷　李遠撰。

同姓名録一卷　丘光庭撰。

四庫韻對十八卷　陳鄂撰。

十經韻對二十卷　同上。

詩格一卷　鄭谷、僧齊己、黃損同輯。

桂香集一卷　黃損輯。

蜀國文英八卷　劉贊輯。

泉山秀句三十卷　黃滔選。

雅道機要八卷　徐寅撰。

賦格二卷　和凝撰。

賦苑二百卷　目一卷　徐鍇撰。

廣類賦二十五卷　靈仙賦二卷　甲賦五卷　賦選五卷　_{同上。}①

唐吳英秀七十二卷　_{江文蔚輯。}

桂香賦選三十卷　_{同上。}

修文要訣二卷　_{馮鑑撰。}

右總集類，共二千七百三十二卷。

羅紹威　政餘詩集一卷　偷江東集一卷②

李後主集十卷　集略七卷　詩一卷

杜荀鶴　唐風集三卷

敬翔集十卷

李琪　金門集十卷　應用集三卷

李愚　白沙集十卷　五書一卷

和凝　演綸、游藝、孝悌、紅藥、籝金、香奩六集，共一百卷。

賈緯　草堂集二十五卷　續草堂集十五卷

王朴　翰苑集十卷

李瀚　丁年集十卷

楊凝式詩一卷

李濤　應歷集十卷

盧延讓詩一卷

韋說詩一卷

封翹　翰林棗八卷

---

① 《廣類賦》二十五卷《靈仙賦》二卷《甲賦》五卷，皆不知作者。《賦選》五卷，乃李魯編。顧氏誤讀《宋史·藝文志》，并列於徐鍇名下，非是。

② "偷江東集"，原誤作"羅江東集"，《二十五史補編》本同。宋祖駿《補五代史藝文志》作《偷江東集》，《舊五代史》卷十四羅紹威本傳記其命集之由，乃慕江南羅隱，羅隱集名《羅江東集》，故紹威自名爲《偷江東集》。張興武《五代藝文考》以爲《政餘集》即《偷江東集》，當是。

崔遘集二卷

符載集二卷

扈蒙　鼇山集二十卷

李崧　錦囊集三卷　真珠集一卷

高輦　崑玉集一卷

馮道集六卷　河間集五卷　詩一卷

王仁裕　紫泥集十卷　紫泥後集四十卷　詩集十卷　紫閣集
　十卷　乘軺集十卷　西江集十卷

扈載集十卷

符蒙集十卷

盧士衡集一卷　<small>天成二年進士。</small>

熊皦　屠龍集一卷　<small>清泰二年進士。</small>

桑維翰賦二卷

張昭　嘉善集五十卷

王溥集二十卷

趙上交集二十卷

薛居正集三十卷

竇夢徵　東堂集三十卷

程遜集十卷

李爲光　斐然集五卷

李山甫文集十卷　<small>羅紹威判官。</small>

薛廷珪　鳳閣集十卷　克家志五卷　<small>案廷珪父逢，著"鑿混沌"、"真珠簾"
　等賦，爲時人所賞。廷珪亦著賦數十篇，同爲一集，故曰《克家志》。</small>

韓偓詩一卷　入翰林後詩一卷　香奩集一卷　<small>案《香奩集》係和凝嫁
　名。</small>別集三卷

黃滔集十五卷　莆陽御史集二卷　編略十卷

馮涓　懷秦賦一卷　文集十三卷　龍吟集一卷　長樂集一卷

南冠集一卷

韋莊集二十卷　浣華集五卷　又元集五卷

羅隱　淮海寓言七言甲乙集三卷　外集詩一卷　江東後集
　二十卷　汝江集三卷　歌詩十四卷　讒本三卷　讒書
　五卷

徐融集一卷

陳陶文集十卷　詩一卷

江文蔚集三卷

徐凝詩一卷

錢宏偓詩十卷

錢儼前集五十卷　案儼仍有《後集》五十卷，係入宋後撰，不録。

錢昆文集十卷

錢惟濬文集二十卷

錢惟治文集十卷

沈崧文集二十卷

毛文晏　西園集十卷①　昌城寓言集十五卷②　東壁寓言三卷③
　吳越石壁集二卷

王超　洋源集二卷④

庾傳昌　玉堂集二十卷　青宮載筆記二卷

李珣　瓊瑤集一卷

孟賓于　金鼇集一卷

---

①　“西園集”，《宋史·藝文志》、明胡震亨《唐音癸籤》卷三十作“西閣集”。
②　“昌城寓言集十五卷”，《崇文總目》、《通志·藝文略》作“昌城後寓集五卷”，《宋史·藝文志》、《唐音癸籤》卷三十作“昌城後寓集十五卷”。
③　“東壁寓言”，《通志·藝文略》、《宋史·藝文志》作“東壁出言”。
④　“超”原作“保”，據《崇文總目》、《通志·藝文略》、《宋史·藝文志》改。《宋史·藝文志》作“十卷”。

牛嶠集三十卷　歌詩三卷

吳仁璧詩一卷①

劉昌言文集三十卷

徐寅　温陵集十卷　探龍集一卷　釣磯集三卷　書二十卷
　賦五卷　別集一卷

鄭良士　白巖文集詩集十卷　中壘集十卷

邵拙文集三百卷　廬嶽集一卷

韋縠　集唐人才調集十卷

田霖　四六一卷

殷文圭集一卷　冥搜集二十卷　登龍集十卷

江爲集一卷

文丙集一卷

劉乙集一卷

伍喬集一卷

裴説集一卷

劉昭禹集一卷

王轂集一卷

孫晟集五卷

沈文昌集二十卷

王超　鳳鳴集三卷

崔拙集二卷

丘光業詩一卷

孫光憲　荆臺集四十卷　紀遇詩十卷　鞏湖編玩三卷　橘齊

---

① "璧"，原作"壁"，據《新唐書·藝文志》、《宋史·藝文志》、《十國春秋》卷八十八
改。

　集二卷①

楊懷玉　忘筌集三卷

王倓後集十卷

張正　西掖集十三卷

喬諷集十五卷

李洪茂集十卷

勾令言　元舟集十二卷

商文圭　鏤冰集二十卷②　筆耕詞二十卷

游恭　東里集三卷　廣東里集二十卷　短兵集三卷

朱潯　昌吴啓霸集三十卷

沈松　錢金集八卷

郭昭慶　芸閣集十卷

李氏　金臺鳳藻集五十卷

沈顔　陵陽集五卷

程柔　安居雜著十卷

宋齊邱　祀元集三卷

孟拱辰　鳳苑集三卷

湯筠　戎機集五卷

喬舜　儗谣十卷

譚藏用詩一卷

廖光圖詩集二卷

孫魴詩一卷

侯圭賦五卷

陳搏　釣潭集二卷

---

①　據《宋史·藝文志》，孫光憲，另有《筆傭集》十卷，此處脱漏。

②　《宋史·藝文志》，作"《鏤冰録》二十卷"，另有《從軍藥》二十卷，此處脱漏。

丘旭詩一卷　賦一卷

倪曙　獲橐三卷　賦一卷

譚用之詩一卷

徐鍇集十五卷

徐鉉集三十二卷

湯悦集三卷

潘祐　滎陽集二十卷

李建勳集二十卷　詩一卷

高越賦一卷

韓熙載　擬議集十五卷　定居集二卷

劉洞詩一卷

毛炳詩集一卷

顏詡詩集一卷

沈彬詩集二卷

張蠙詩一卷

李中　碧雲集二卷

黃璞集五卷

章九齡　潼江集二十卷

李堯夫　梓潼集二十卷

廖融詩集四卷

吳蛻　一字至七字詩二卷

李躍　嵐齋集二十五卷

張安石　涪江集一卷

李美夷　江南集十卷

沈光集五卷

陳黯集三卷

鄭氏貽孫集四卷

養素先生遺榮集三卷

雲南趙和　雜詩牋一卷

趙宏詩集一卷

廖偃詩一卷

廖凝詩一卷

王德興詩一卷

張爲詩一卷　唐詩主客圖一卷

崔道融　申唐詩三卷

陳光詩一卷

韋藹詩一卷

羅浩源詩一卷

薛瑩　洞庭詩集一卷

劉威詩一卷

陳用拙詩集八卷①

鄭雲叟　儗峯集二卷

王智興②　偷江東集一卷

劉吉　釣鼇集一卷　鹿園集一卷

徐仲雅集一百卷

田吉　暌叟集二卷

唐求　味江山人詩一卷

左偃集一卷

狎鷗集一卷　畫錦集　宏詞前後集二十卷

李侯　閣中集第九一卷

僧曉微　玉壘集一卷

---

① “用”，原作“周”，據《十國春秋》卷六十二、宋祖駿《補五代史藝文志》改。
② “王智興”，當爲“羅紹威”，前已著錄。

僧貫休　寶月集一卷　西嶽集四十卷

僧贊寧　内典集一百五十卷　外學集四十九卷

僧彙征集七卷

僧棲白詩一卷

僧修睦　東林集一卷

僧齊己集十卷　蓮社集一卷　白蓮編外集十卷 _{案李調元《五代全}
詩》作《白蓮集》十一卷。

僧尚顏　供奉集一卷　荆門集五卷

僧曇域　龍華集十卷

杜光庭　廣成集一百卷　壺中集三卷

右詩文集類,共二千四百七十六卷。

順德李肇沅初校
補五代史藝文志
會稽陶濬宣覆校

五代史記補考藝文考

[清] 徐　炯　撰

陳錦春　整理

底本：《適園叢書》本《五代史記補考》卷二
十二至二十四

後唐莊宗同光中，募民獻書。及三百卷，授以試銜。其選調之官，每百卷減一選。《文獻通考》。

天成中，遣都官郎中庾傳美訪圖書於蜀，得《九朝實錄》及雜書千餘卷而已。同上。

明宗長興三年初，令國子監校定九經，雕印賣之。同上。

　　唐以前，凡書籍皆寫本，未有模印之法，人以藏書爲貴，人不多有，而藏者精於讎對，故往往皆有善本。學者以傳錄之艱，故其誦讀亦精詳。五代時，馮道始奏請官鏤板印行。國朝淳化中，復以《史記》、《前》、《後漢》付有司摹印，自是書籍刊鏤者益多，士大夫不復以藏書爲意。學者易於得書，其誦讀亦因滅裂。然板本初不是正，不無訛誤。世既一以板本爲正，而藏本日亡，其訛謬者遂不可正，甚可惜也。余襄公靖爲祕書，嘗言《前漢書》本謬甚，詔與王原叔同取祕閣古本參校，遂爲《刊誤》三十卷。其後，劉原父兄弟《兩漢》皆有《刊誤》。余在許昌得宋景文用監本手校《西漢》一部，末題用十三本校，中間有脫兩行者。惜乎！今亡之矣。同上。

世言雕板印書始馮道，此不然，但監本《五經》板，道爲之爾。柳玭《訓序》言其在蜀時，嘗閱書肆，云字書小學率雕板印紙，則唐固有之矣。但恐不如今之工。今天下印書以杭州爲上，蜀本次之，福建最下。京師比歲印本殆不減杭州，但紙不佳。蜀與福建多以柔木刻之，取其易成而速售，故不能工。福建本幾徧天下，正以其易成故也。同上。

應順元年正月，敕今後三館所闕書並訪本添寫，其進書官權宜停罷。《會要》。

後漢乾祐中，禮部郎司徒詡請開獻書之路，凡儒學之士，衣冠舊族，有以三館亡書求上者，計其卷帙，賜之金帛。數多者，賜以官秩。時戎虜猾夏之後，官族轉徙，書籍罕存，詔下鮮有應者。《文獻通考》。

周世宗以史館書籍尚少，銳意求訪，凡獻書者，悉加優賜以誘致之，而民間之書傳寫舛誤，乃選常參官三十人校讐刊正，令於卷末署其名銜焉。自諸國分據，皆聚典籍，惟吳、蜀爲多，而江左頗爲精真，亦多修述。同上。

顯德二年十二月，詔曰：“史館所少書籍，宜令本館諸處求訪補塡。如有收得書籍之家，並許進納。其進書人，據部帙多少等第，各與恩澤。如卷帙少者，量給資帛。如館內已有之書，不在進納之限，仍委中書門下，於朝官中選差三十人，據見在書，各求真本校勘，刊正舛誤，仍於逐卷後署校勘官姓名。宜令館司逐月具功課申中書門下。”《會要》。

經類

梁劉郭遷立石經

今西安府學石經，乃唐文宗時石經也。舊在務本坊，韓建築新城，棄之於野。朱梁時，劉郭用尹玉羽請，遷故唐尚書省之西隅。宋元祐中，汲郡呂公始遷今學。趙崡《石墨鐫華》。唐文宗詔刻國子監，鄭覃以經籍刓繆，建言願與巨學鴻生共力讐刊，準漢舊事，鏤石太學，乃表周墀、崔球、張次宗、孔温業等正其文。太和七年，敕唐玄度覆定石經字體，於國子監講論堂兩廊，創立石九經，并《孝經》、《論語》、《爾雅》共一百五十九卷，《字樣》四十卷。開成二年告成，今在文廟碑洞中即其刻也。李應祥《雍勝略》。

後唐雕印九經

長興三年二月，中書門下奏請依石經文字刻九經印板，敕令國子監集博士、儒徒將西京石經本，各以所業本經句度鈔寫注出，子細看讀，然後顧召能雕字匠人，各部隨秩刻印板，廣頒天下。如諸色人要寫經書，並須依所印敕本，不得更使雜文交錯。其年四月，敕差太子賓客馬縞、太常丞陳觀、太常博士段顒、路航、尚書屯田員外郎田敏，充詳勘官，兼委國子監於諸色選人中，召能書人，端楷寫出，旋付匠人雕刻，每日五紙，與減一選。如無選可減，等第據與改轉官資。漢乾祐元年閏五月，國子監奏，在雕印板九經內，有《周禮》、《儀禮》、《公羊》、《穀梁》四經未有印板，今欲集學官校勘四經文鏤板。從之。《會要》。

周廣順三年六月，判國子監事田敏獻印版《九經》書、《五經文字樣》各二部，一百三十册，太祖優詔嘉之，賜襲衣繒綵銀器，又賜司業趙銖襲衣繒綵。時樊倫爲國子司業，是書流行，而儒官素多是非。倫乃掇拾舛誤，訟於執政。又言敏擅用賣書錢千萬，請下吏訊詰。樞密使王峻素聞敏大儒，佐佑之，密訊其事，搆致無狀。然其書至今是非未息。同上。

周世宗顯德元年十月，太常禮院上言，去冬還宗社於浚都，其諸祠郊壇，奉敕依四京制度修築。伏緣司寒神元在兩京後園水井，所祠祭未審，且在彼祭，爲復於此。敕曰：“據《月令》孟冬祭司寒於北郊，其司寒一祠一旦，準《月令》施行藏冰、開冰。”祭司寒之神，事屬別祭，後有冰室，當取指揮。時田敏以鴻儒爲太常卿，朝廷之內禮義差失，謂可質正，而司寒小祀不能按故實舉行，翻以水井爲請，中書只引《月令》命正之，大爲士子所笑。同上。

顯德二年二月，中書門下奏國子監祭酒尹拙狀，稱準敕校勘《經典釋文》三十卷雕造印版，欲請兵部尚書張昭、太常卿田敏同校勘，敕其《經典釋文》已經本監官員校勘外，宜差張昭、田敏詳校。同上。

周太祖廣順三年六月，尚書左丞兼判國子監事田敏，獻印板書《五經文字》、《九經字樣》各二部一百三十冊，奏曰：“臣等自長興三年校勘雕印九經書籍，經注繁多，年代殊邈，傳寫紕繆，漸失根源，臣守膠庠，職司校定，旁求援據，上備雕鐫，幸遇聖朝，克終盛事，播文德於有截，傳世數以無窮。謹具陳進。”是此二書曾有印板，而自宋以來學者不言之，何也？《金石文字記》。

唐貞觀中，魏徵、虞世南、顏師古繼爲祕書監，請募天下書，選五品以上子孫工書者爲書手繕寫。予家有舊監本《周禮》，其末云：“大周廣順三年癸丑五月，雕造九經書畢，前鄉貢三禮郭嵱書。”列宰相李穀、范質、判監田敏等銜於後。《經典釋

文》末云："顯德六年己未二月,太廟室長宋延熙書。"宰相范
質、王溥如前,而田敏以工部尚書爲詳勘官。此書字畫端嚴
有楷法,更無舛誤。《舊五代史》漢隱帝時,國子監奏《周禮》、
《儀禮》、《公羊》、《穀梁》四經未有印板,欲集學官考校雕造,
從之。正尚武之時,而能如是,蓋至此年而成也。成都石本
諸經,《毛詩》、《儀禮》、《禮記》皆祕書省郎張紹文書。《周禮》
者,祕書省校書郎孫朋古書。《周易》者,國子博士孫逢吉書。
《尚書》者,校書郎周德政書。《爾雅》者,簡州平泉令張德昭
書。題云廣政十四年,蓋孟昶時所鐫。其字體亦皆精謹,兩
者並用士人筆札,猶有貞觀遺風,故不庸俗,可以傳遠。惟三
《傳》至皇祐元年方畢工,殊不逮前。《容齋二筆》。

初,唐明宗之世,宰相馮道、李愚請令判國子監田敏校正九
經,刻板印賣,朝廷從之。五月丁巳板成,獻之。由是雖亂
世,九經傳布甚廣。《通鑑》。

《易》、《書》、《詩》、《春秋》,全經也。先賢以之配皇帝王霸,言
世之變,道之用,不出乎是矣。《論語》、《孟子》,聖賢之微言,
諸經之管轄也。《孝經》非曾子所爲,蓋其門人纘所聞而成
之,故整比章指,又未免有淺近者,不可以經名也。《禮記》多
出於孔氏弟子,然必去呂不韋之《月令》及漢儒之《王制》,仍
博集名儒,擇《冠》、《昏》、《喪》、《祭》、《燕》、《饗》、《相見》之經
與《曲禮》,以類相從,然後可以爲一書。若《大學》、《中庸》,
則《孟子》之倫也,不可附之《禮》篇。至於《學記》、《樂記》、
《閒居》、《燕居》、《緇衣》、《表記》,格言甚多,非《經解》、《儒
行》之比,當以爲《大學》、《中庸》之次也。《禮運》、《禮器》、
《玉藻》、《郊特牲》之類,又其次也。若《周官》,決不出於周
公,不當立博士,使學者傳習,姑置之足矣。古有經而無數,
逮孔子刪定繫作,然後《易》、《詩》、《書》、《春秋》成焉。然孔

孟之門，經無五六之稱。其後世分禮樂爲二，與四經爲六歟？
抑合禮樂爲一，與四經爲五歟？廢仲尼親筆所注之《春秋》，
而取劉歆所附益之《周禮》，列之學官，於是六經名實益亂矣。
有天下，國家必以經術示教化，不意五季之君，夷狄之人，而
知所先務，可不謂賢乎？雖然，命國子監以木本行，所以一文
義，去舛訛，使人不迷於所習，善矣。頌之可也，鬻之非也。
或曰天下學者甚衆，安得人人而頌之。曰以監本爲正，俾郡
邑皆傳刊焉，何患於不給？國家浮費不可勝計，而獨靳於此
哉？馮道、趙鳳之失也。《文獻通考》。

後蜀成都石經

《左傳》文公宣公卷，字更濫惡，而成、城字皆缺末筆。《穀梁》
襄昭定哀四公卷，《儀禮·士昏禮》皆然。此爲朱梁所刻。考
之宋劉從乂、黎持二《記》，但言韓建、劉鄩移石，而不言補刻。
宋建隆三年，劉從乂《修文宣王廟記》言，天祐甲子歲，太尉許
國公爲居守，移太學并石經於此。甲子歲，昭宗遷雒之年。
許國公者，韓建也。元祐五年，黎持《新移石經記》則云，舊在
務本坊，自天祐中，韓建築新城，而石經委棄於野。至朱梁
時，劉鄩守長安，從幕吏尹玉羽之請，輦入城中，置於此地，即
唐尚書省之西隅也。今龍圖呂公領漕陝右，以其處漥下，命
徙置於府學之北墉，而建亭焉。二説不同，然“成”字缺筆，其
爲梁諱無疑。昔人未嘗徧讀而博考也。《金石文字記》。

僞蜀相毋昭裔，取唐大和九經本琢石於成都學宮，與後唐板
本不無小異。

後唐明宗長興三年，宰相馮道、李愚請令判國子監田敏校正
九經。又毋昭裔貧時，嘗借《文選》於交遊，其人有難色，昭裔
發憤曰：“異日若貴，當版鏤之，以遺學者。”後仕孟蜀爲宰相，
遂踐其言，又以石鏤九經於成都。是印行書籍始之者後唐

繼之者孟蜀也。《玉海》。

益郡石經：《孝經》一冊二卷，《序》四百三十九字，正經一千七百九十八字，注二千七百四十八字。孟蜀廣政七年三月二日，右僕射毋昭裔以雍經石本校勘，簡州平泉令張德釗書，鐫工潁川陳德謙。《論語》三冊十卷，《序》三百七十二字，正經一萬五千九百十三字，注一萬九千四百五十四字。廣政七年四月初九日校勘，書鐫姓名皆同。《孝經》、《爾雅》一冊二卷，不載經注數目。廣政七年甲辰六月，右僕射毋昭裔置，簡州平泉令張德釗書，鐫者武令昇。《周易》四冊十二卷，又《略例》一卷，正經二萬四千五十二字，注四萬二千七百九十二字。廣政十四年辛亥仲夏刊石，朝議郎、國史博士孫逢吉書。《毛詩》八冊二十卷，正經四萬一千二十一字，注十萬五千七百一十九字。將仕郎、秘書省秘書郎張紹文書，鐫工張延族。《尚書》四冊十三卷，正經二萬六千二百十六字，注四萬八千九百八十二字。將仕郎、祕書省校書郎周德貞書，鐫工陳德超。《儀禮》八冊十六卷，正經五萬二千八百二字，注七萬七千八百九十一字。《禮記》十冊二十卷，正經九萬八千五百四十五字，注十萬六千四十九字。以唐玄宗所刪《月令》爲首，《曲禮》次之，亦張紹文書。《周禮》九冊十二卷，正經五萬五百八字，注十一萬二千五百九十五字。將仕郎、祕書省祕書郎孫朋吉書。《春秋左氏傳》二十八冊三十卷，《序》一千六百一十七字，經傳十九萬七千二百六十五字，注十四萬六千九百六十二字。蜀鐫至十七卷止。《穀梁》六冊十二卷，傳四萬一千八百九十字，注三萬九千七百三十字。《公羊》六冊十二卷，傳四萬四千七百三十八字，注七萬七千三十七字。畢工於皇祐元年己丑九月望日。帥臣樞密直學士京兆郡開國侯田況、益州路諸州水陸轉運使曹穎叔、提點益州路刑獄孫長卿曁倅僉，皆鐫銜於石。《成都志》又謂《公》、《穀》田況所刻，《孟子》十二卷，宣和五年九月，帥席貢曁運判彭慥方入石，踰年乃成，計四冊，《考異》一冊。乾道六年庚寅三月旦，東里晁公武校石經與監本不同者，作爲此書。<small>曾宏父《石刻鋪叙》。</small>

易<small>五</small>。書<small>十</small>。詩<small>四十七</small>。

周禮<small>四十二</small>。儀禮<small>三十一</small>。禮記<small>三十二</small>。

左傳<small>四十六</small>。公羊<small>二十二</small>。穀梁<small>二十三</small>。

孝經<small>四</small>。論語<small>八</small>。爾雅<small>五</small>。

孟子<small>二十七</small>。

此正經不同者如此，傳注不與。《古文尚書》三冊三卷，蓋唐天寶末廢古書前傳本，中汲郡呂大防得之於宋次道、王仲至家，乃元豐五年壬戌鏤板，乾道六年庚寅，帥晁公武取以入石，教官張大固等監刊。<small>同上。</small>

益郡石經肇於孟蜀廣政，悉選士大夫善書者模丹入石。七年甲辰，《孝經》、《論語》、《爾雅》先成，時晉出帝改元開運。至十四年辛亥，《周易》繼之，實周太祖廣順元年。《詩》、《書》、三《禮》不書歲月。逮《春秋》三《傳》，則皇祐元年九月訖工，時我宋有天下已九十九年矣。通蜀廣政元年肇始之日，凡一百一十二禩，成之若是其艱。又七十五年，宣和五年癸卯，益帥席貢始湊鐫《孟子》，運判彭慥繼其成。乾道六年庚寅，晁公武又鐫古文《尚書》曁諸經《考略》。洪文敏公邁謂孟蜀所鐫，字體清謹，有貞觀遺風。續補經傳，殊不逮前。且引魏徵、虞世南相繼爲祕書監，日請選五品以上子孫工書者爲書手，蓋欲字畫清婉，可以傳久。是以自經傳以後，非士大夫所書，皆不著姓氏。若漢石經，今不易得，好古者所藏僅十數葉，蜀中人以翻刊入石。黃長睿謂開元中藏拓本於御府，以

"開元"二字小印印之。是元宗時已罕得，況今又六百年後耶？

蜀本石九經皆孟昶時所刻，其書"淵"、"世民"三字皆闕畫，蓋謂唐高祖、太宗諱也。昶父知祥，嘗爲莊宗、明宗臣，然於存勗、嗣源乃不諱。前蜀王氏已稱帝，而其所立《龍興寺碑》，言及唐諸帝亦皆平闕，乃知唐之澤遠矣。《容齋隨筆》。

後蜀孟昶又立石經於成都，宋世書傳蜀本最善以此。五代僭偽諸君，惟吳、蜀二主有文學。然李昇不過作小詞，工畫竹而已，孟昶乃表章《五經》，纂集《本草》，有功於經學矣。今之《戒石銘》亦昶之所作。又作《書林韻會》，宋儒黃公紹《韻會舉要》實祖之，然博洽不及也，故以"舉要"爲名。余及見之於京師，惜未假鈔也。杜應芳《補續全蜀藝文志》。

孫逢吉，成都人，博學，尤善《毛詩》。孟蜀時，爲國子博士檢校，刻石經於蜀學。曹學佺《蜀中人物志》。

周易口訣義六卷

《三朝史志》有其書，非唐則五代人也。避□作證字。[1] 陳振孫《書錄解題》。

僞蜀廣政辛亥，孫逢吉書。廣政，孟昶年號也。《說卦》"乾，健也"以下有韓康伯注，《略例》有邢璹注，此與國子監本不同者也。以蜀中印本校邢璹注《略例》，不同者又百餘字。詳其意義，似石經誤而無他本訂正，姑兩存焉。晁公武《讀書志》。

按石經之學，始於蔡邕。秦火之後，經籍初出，諸家所藏，傳寫或異。箋傳之儒，皆馮所見，更不論文字之訛謬。邕校書東觀，奏求正定《六經》文字，靈帝許之。乃自爲書，而刻石於

---

[1] "□"，陳振孫《直齋書錄解題》作"諱"字，《四庫全書》本陳氏書，"三朝史志"上有"河南史之徵撰，不詳何代人"云云。

太學門外，後儒晚學咸所取正。奈當漢之末祚，所傳未廣，而
兵火無存，後之人所得者亦希矣。今之所謂石經者，但刻諸
石耳，多非蔡氏之經。《文獻通考》。

易軌一卷

僞蜀滿乾貫撰。專言流演，其《序》云"可以知否泰之原，察延
促之數"，蓋數學也。同上。

石經尚書十三卷

僞蜀周德貞書。經文有"祥"字，皆缺其畫，亦闕"民"字之類，
蓋孟氏未叛唐時所刊也。以監本校之，《禹貢》"雲土夢作乂"
倒"土夢"字。《盤庚》"若網在綱"皆作綱字。按沈括《筆談》
云："'雲土夢作乂'太宗時得古本，因改正。以綱爲網，未知孰
是。"同上。

尚書廣疏

僞蜀馮繼先撰。以穎達《正義》爲本，小加己意。《崇文總目》。

石經毛詩二十卷

僞蜀張紹文書，與《禮記》同時刻石。《讀書志》。

石經周禮十二卷

僞蜀孫朋吉書。以監本是正其注，或羨或脫或不同，至千數。
同上。

石經禮記二十卷

僞蜀張紹文所書，不載年月。經文不缺唐諱，當是孟知祥僭
位之後也。首之以《月令》，題云"御刪户定"，蓋明皇也。"林
甫等注"，蓋李林甫也。其餘篇第仍舊。議者謂"經禮三百，
曲禮三千"，"毋不敬"一言足以蔽之，故先儒以爲首。孝明肆
情變亂，甚無謂也。同上。

劉岳　書儀

岳《書儀》婚禮有女坐壻之馬鞍，父母爲之合髻之禮，不知用

何經義。據岳自叙云"以時之所尚者益之"，則是當時流俗之所爲爾。岳當五代干戈之際，禮樂廢壞之時，不暇講求三王之制度，苟取一時世俗所用吉凶儀式，略整齊之，固不足爲後世法矣。然而後世猶不能行之。今岳《書儀》十已廢其七八，其一二僅行於世者，皆苟簡麤略，不如本書。就中轉失乖繆，可爲大笑者，坐鞍一事耳。歐陽氏《歸田録》。

初，鄭餘慶嘗采唐士庶吉凶書疏之式，雜以當時家人之禮，爲《書儀》兩卷。明宗見其有起復冥昏之制，歎曰："儒者所以隆孝悌而敦風俗，且無金革之事，起復可乎？婚，吉禮也。用於死者，可乎？"乃詔岳選文學通知古今之士，共删定之。岳與太常博士段顒、田敏等增損其書，而其事出鄙俚，皆當時家人女子傳習，所見往往轉失其本。然猶時有禮之遺制，其後亡失，愈不可究其本末。其婚禮親迎，有女坐壻鞍合髻之説，尤爲不經。公卿之家，頗遵用之。至其久也，又益訛謬可笑，其類甚多。岳卒於官，年五十六，贈吏部尚書。子温叟。嗚呼，甚矣人之好爲禮也。在上者不以禮示之，使人不見其本，而傳其習俗之失者，尚拳拳而行之。五代干戈之亂，不暇於禮久矣。明宗武君，出於夷狄，而不通文字，乃能有意使民知禮，而岳等皆當時儒者，卒無所發明，但因其書增損而已。然其後世士庶，吉凶皆取岳書以爲法，而十又轉失其三四也，可勝歎哉。《劉岳傳》。

石經左氏傳三十卷

不題所書人姓氏，亦無年月。按文不缺唐諱及國朝諱而缺祥字，當是孟知祥僭後位刊石也。《讀書志》。

春秋名號歸一圖二卷

僞蜀馮繼先撰。以《春秋》官謚、名字裒附初名之左。《崇文總目》。

《左氏》所書人，不但稱其名或字或號，或稱謚，多互見，學者苦之，繼先皆取以繫之。《讀書志》。

昔丘明傳《春秋》，於列國君臣之名字不一，其稱多者或至四五，始學者蓋病其紛錯難記，繼先集其同者爲一百六十篇，音同者附焉，於《左氏》抑亦微有所助云。宋大夫莊堇、秦右大夫詹，據《傳》未始有父字，而繼先輒增之。所見異本，若子韓晢者，蓋齊頃公。係《世族譜》與《傳》同，而繼先獨以爲韓子晢。與楚、鄭二公孫黑共篇，蓋誤也。《文獻通考》。

《左傳》所載君臣名、謚、字、氏互見錯出，故爲此圖以一之。周一、魯二、齊三、晉四、楚五、鄭六、衞七、秦八、宋九、陳十、蔡十一、曹十二、吳十三、邾十四、杞十五、莒十六、滕十七、薛十八、許十九、雜小國二十。《書錄解題》。

左氏傳引帖新義

僞蜀進士蹇遵品撰。擬唐禮部試進士帖經書式，邀經具對。《崇文總目》。

春秋纂例

僞唐人姜虔嗣撰。以《春秋》左氏、公、穀三家之《傳》學者鈔集之文。同上。

石經論語十卷

右僞蜀張德鈞書，缺唐諱，立石當在孟知祥未叛之先。其文脱兩字，誤一字。又《述而》第七"舉一隅"下有"而示之"三字，"三人行必有我師焉"上又有"我"字。《衞靈公》第十五"敬其事而後其食"作"後食其禄"，與李鶚本不同者此也。《讀書志》。

孝經經解

《古文孝經》世不傳，歷晉至唐，所行惟鄭氏者，世以爲鄭玄，唐開元中史官劉子玄，證其非鄭玄者十有二。諸儒非子玄之説。天寶中玄宗自注，元行沖造疏授學官，凡今儒者傳習焉。

五代以來，孔、鄭二注皆亡。周顯德末，新羅獻別序《孝經》，
即鄭注者。《宋三朝藝文志》。

五經字樣一卷

唐沔王友、翰林待制唐玄度撰，補張參之所不載。開成中，上
之。二書卻當在小學類，以其專爲經設，故亦附見於此。往
宰南城，出謁，有持故紙鬻於道右，得此書，乃古經本，五代開
運丙午所刻也。遂爲家藏書籍之最古者。《書錄解題》。

琴譜一卷

梁開平中王遜撰。《崇文總目》。

小胡笳子十九拍一卷

僞唐蔡翼撰。琴曲有大小《胡笳》，《大胡笳》十八拍，沈遼集，
世名沈家聲。《小胡笳》又有《契聲一拍》，共十九拍，謂之祝
家聲。祝氏不知何人，所載乃《小胡笳子》。同上。

阮咸譜一卷
琴調一卷

僞唐蔡翼撰。同上。

大周正樂一百二十卷

周翰林學士竇儼撰。顯德中，儼奉詔集綴其書傳而無次。
同上。

周優人曲辭二卷

周吏部侍郎趙上交、翰林學士李昉、諫議大夫劉濤、司勳郎中
馮吉纂，錄燕樂優人曲詞。同上。

小學

爾雅音略三卷

僞蜀毋昭裔撰。《爾雅》舊有釋智騫及陸朗《釋文》，昭裔以一

字有兩音或三音，後生疑於呼讀，及釋其文義最明者爲定。[①]
《讀書志》。

臨池妙訣三卷

未詳何人撰。後有江南李煜述書。同上。

説文解字韻譜十卷

南唐徐鍇撰。鍇以許慎學絶，取其字分譜四聲，殊便檢閲，然不具載其解爲可恨，頗有意再編之。同上。

説文解字繫傳四十卷

南唐校書郎廣陵徐鍇楚金撰，爲《通釋》三十篇，《部叙》二篇，《通論》三篇，《袪要》、《類聚》、《錯綜》、《疑義》、《繫述》各一篇。鍇，集賢學士、右内史舍人，不及歸朝而卒。鍇與兄鉉齊名，或且過之。而鉉歸朝通顯，故名出鍇上。此書援引精博，小學家木有能及之者。《書録解題》。

漢和帝永元十二年，太尉祭酒許叔重始爲《説文解字》十四篇，凡五百四十部，其文九千三百五十三。後二十一年，當安帝建光元年，叔重子沖乃且以獻。晉東萊嵫令呂忱繼作《字林》五卷，以補叔重所缺遺者，於叔重部叙初無移徙。忱書甚簡，顧爲他説揉亂且傳寫訛脱，學者鮮通，今往往附見《説文》，蓋莫知自誰氏始。古文、籀文疑是呂忱始增入，今或以附見《説文》，或在陽冰以前。若《説文》元自有此，則林罕不應謂忱補許氏遺缺也。戎字當時增入，上字則《説文》元自有矣。更詳之。陳左將軍顧野王，更因《説文》造《玉篇》三十卷，梁武帝大同末獻之。其部叙既有所升降損益，其文又增多於叔重。唐上元末，處士孫强復修野王《玉篇》，愈增多其文。今行於俗閒者，强所修也。叔重專爲篆學，而野王雜以隸書。用世既久，故篆學愈微。野王雖曰推

---

① "及"，《四庫全書》本《郡齋讀書志》作"今"字。案此條所引文字適與明曹學佺《蜀中廣記》所紀全同。

本叔重，而追逐世好，非復叔重之舊。自强以下，固無譏焉。
大曆間，李陽冰獨以篆學得名，時稱中興，更刊定《説文》，仍
祖叔重。然頗出私意，詆訶許氏，學者恨之。南唐二徐兄弟，
實相與反正由舊，故鍇所著書四十篇，總名《繫傳》，蓋尊許氏
若經也。惜其書未布，而鍇亡。本朝雍熙三年，鍇兄鉉初承
詔，與句中正、葛湍、王惟恭等詳校《説文》。今三十卷内《繫
傳》往往錯見，豈其家學同源，果無異派歟？鍇無恙時，鉉苦
許氏偏旁奧密，不可意知，因令鍇以《切韻》譜其四聲，庶幾檢
閲力省功倍。鉉又爲鍇篆名，曰《説文韻譜》。其書當與《繫
傳》並行。今《韻譜》或刻諸學官，而《繫傳》訖莫光顯。余蒐
訪歲久，僅得七八缺卷，誤字無所是正，每用太息。蓋嘗謂小
學放絶久矣，欲崇起之，必以許氏爲宗，而鉉、鍇兄弟最其親
近者。如陽冰、林罕、郭忠恕等輩，俱當收拾采掇，聚爲一書，
使學者復覩純全，以非小補，顧力有所不及耳。《韻譜》仍便
於檢閲，然局以四聲，則偏旁要未易見。乃依司馬光所上《類
篇》，依五音先後，悉取《説文》次第安排，若魚貫然，開編即可
了也。《説文》所無而《類篇》新入者，皆弗取。若有重音，則
但舉其先而略其後。雖許氏本在上去入聲，而《類篇》在平
聲，亦移載平聲，大抵皆以《類篇》爲定。《類篇》者，司馬光治
平末所上也。先是，景祐初，宋祁、鄭戩建言見行《廣韻》，乃
陳彭年、丘雍等景德末重修，繁省失當，有誤科試，乞別刊定。
即詔祁、戩與賈昌朝同修，而丁度、李淑典領之。寶元二年書
成，賜名《集韻》。度等復奏《集韻》添字極多，與彭年、雍等前
所修《玉篇》不相參協，乞別爲《類篇》，即以命洙。洙尋卒，命
胡宿代之。宿奏委掌禹錫張次立同加校讐。宿遷，又命范鎮
代之。鎮出，而光代之，乃上其書。自《集韻》、《類篇》列於學
官，而《廣韻》、《玉篇》微矣。然小學放絶，講習者寡，獨幸其

書具存耳。所謂《廣韻》，則隋仁壽初陸法言等所共纂次之，
而唐儀鳳後郭知玄等又附益之，時號《切韻》。天寶末，陳州
司法孫愐者，以《切韻》爲謬略，復加刊正，別爲《唐韻》之名。
在本朝太平興國及雍熙、景德，皆嘗命官討論。大中祥符元
年，改賜新名曰《廣韻》。今號《集韻》，則又寶元改賜也。《切
韻》、《廣韻》皆莫如《集韻》之最詳，故司馬光因以修《類篇》。
《集韻》部叙或與《廣韻》不同，鍇修《韻譜》尚因之。今五音先
後並改從《集韻》，蓋《類篇》亦以《集韻》爲定故也。嗚呼，學
無小，而古則謂字書之學爲小，何哉？亦志乎學當由此始耳。
凡物雖微，必有理存，何況斯文？幼而講習，磨礱浸灌之久，
殆其長也，[①]於窮理乎何有？不則躐等陵節，君子不貴也。今
學者以利禄之路初不假此，遂一切棄捐不省。喜字書者，求
其心畫端方，已絶不可得，但肆筆趁姿媚耳。偏旁橫豎且昏
不知，矧其文之理耶？先儒解經，固未始不用此，匪獨王安石
也。安石初是《說文》，覃思頗有所悟，故其解經合處亦不爲
少。獨恨求之太鑿，所失更多。不幸驟貴，附和者益衆而鑿
愈甚。蓋字有六義，而彼乃一之。雖欲不鑿，得乎？科試競
用其説，元祐嘗禁之。學官導諛，紹聖復用，嗜利禄者靡然風
從，鑿説橫流，汩喪道真。此吾蘇氏所以力攻王氏，而不肯置
也。若一切置此弗道，則又非是。今國家既不以此試士，爲
士者可以自學矣。乃未嘗過而問焉，余竊哀之。雖老矣，猶
欲與後生其講習此，故先爲此《五音韻譜》，且序其指意云。
《文獻通考》。

某在武陵，嘗與賈直孺之孫端修，因徐楚金兄弟《説文解字韻

---

①　"殆"，《文獻通考》卷一百八十九、宋魏了翁《經外雜鈔》卷一、明曹學佺《蜀中廣
記》卷九十四並作"逮"。

譜》，別以類編所次五音先後，作《五音譜》，其部序仍用許叔
重舊次。蓋楚金兄弟本志止欲便於檢閱，故專以聲相從，叔
重當時部叙固不暇存，既不存當時部叙，則於偏旁一切都置
之宜矣。然偏旁一切都置，則字之有形而未審厥聲者，豈不
愈難於檢閱乎？此寶元所以既修《集韻》必修《類篇》，修《類
篇》蓋補《集韻》之不足處也。《集韻》、《類篇》兩者相順，則字
之形聲乃無所逃。檢閱之難，固非所患。故某初作《五音
譜》，不敢紊叔重部序舊次，其偏旁皆按堵如故，獨依《類篇》，
取《集韻》翻切所得本音，以序安頓，粲然珠連，不相雜揉，古
文奇字畢陳立見，頗自謂於學者披閱徑捷，不媿楚金兄弟之
言矣。書既成，未敢出也。會得請歸眉山，惟吾鄉家氏三世
留意篆學，多所纂述，每欲持此書相與考評精觕，或增或損。
而去鄉踰一星終，及歸，則舊游零落盡矣。後生雖多俊才，顧
不復肯以小學爲事。所謂《五音譜》者，遂束之高閣。兹來遂
寧，適與餘杭虞仲房相遇。仲房能爲古文奇字，聲溢東南。
凡江浙扁牓與其他金石刻，多仲房筆。其乘暇，則出《五音
譜》求是正焉。仲房喜曰："此要書也，便可刊刻與後學共之，
復何待？"某曰："姑徐之，試爲我更張其不合者。"已而謂某
曰："《五音譜》發端實因徐氏，則此譜宜以徐氏爲本。以徐氏
爲本，則所謂以聲相從，其平上去入自有先後，固不容顛倒。
叔重部叙，亦何可獨異？蓋即用徐氏舊譜，參取《集韻》卷第，
起東終甲，而偏旁各以形相從，悉依《類篇》。今若此則《説文
解字》形聲具存，此譜於檢閱豈不愈徑捷？但不免移徙叔重
部叙耳。"某曰："叔重部叙舊次起子終亥，世固未有能通其説
者，楚金實始通之，其書要自別行，兩不傷。賦詩斷章，取所
求而已，復何待？"亟謂仲房鏤板流布，嗟夫，小學放絶久矣，
自是其復興乎？若論小學原委，則載前記矣。由崇寧以來，

用篆籀名一時者，吳興則張有謙仲，歷陽則徐兢明叔，而仲房最所善者獨張，謂某曰：“明非謙敵也。謙作《復古編》，其筆法實繼斯、冰，其辨形聲，分點畫，剖判真僞，計較毫釐，視楚金兄弟及郭恕先尤精密，其有功於許氏甚大。其書今具在，明何敢望耶？”某曰：“明非謙敵信然。謙不務進取，用心於內，成此書時，年五十餘矣。晚又棄家爲黃冠，師殆世外士。陳了翁實愛之重之，特職篇首。夫豈若明之攀援姻戚，苟入書藝局，登進未幾，旋遭汰斥乎？兩人相去何翅九牛毛？”因是亦可得吾仲房胸懷本趨，遂并《復古編》重刊刻云。同上。

舊編《五音譜》，凡許氏所無，《類篇》新入者，皆勿取。若有重，則但取其先而略其後。雖許氏本在上去入聲，而《類篇》在平聲，亦移載平聲，大抵皆以《類篇》爲定。今編既改部叙從徐氏，則其五音先後亦不復用《類篇》但取許氏本音次第之，庶學者易曉。二書須各行，乃曲當云。同上。

史類

唐書二百卷

晉天福六年二月敕：有唐遠自高祖，下暨明宗，紀傳未分，書志咸闕。今耳目相接，尚可詢求。若歲月寖深，何由尋訪？宜令户部侍郎張昭、起居郎賈緯、祕書少監趙熙、吏部郎中鄭受益、左司員外郎李爲先等修撰《唐史》，仍令宰臣趙瑩監修。其年四月，監修國史趙瑩奉敕同撰《唐史》。内起居郎賈緯丁憂，請以刑部侍郎吕琦、侍御史尹拙同修。從之。尋改吕琦爲户部侍郎，尹拙爲户部員外郎，令與張昭等修《唐史》。其年四月，監修國史趙瑩奏：“自李朝喪亂，迨五十年，四海沸騰，兩都淪覆，今之書府，百無二三。臣等虔奉綸言，俾令撰述，褒貶或從於新意，纂修須按於舊章。既闕簡編，先虞漏略。今據史館所闕《唐書實録》，請下敕命講求。況咸通中，宰臣韋保衡與蔣伸、皇甫燠撰武宗、宣宗兩朝《實録》。又光化初，宰臣裴贄撰僖宗、懿宗兩朝《實録》，皆遇國朝多事，或值鑾輿播越。雖聞撰述，未見流傳。其韋保衡、裴贄合有子孫見居職任，或門生故吏曾託纂修，聞此譔論，諒多欣愜。請下三京諸道及中外臣僚，凡有將此數朝《實録》詣闕進納，請隨其文武才能，不拘資地除一官。如卷帙不足，據數進納，亦請不次獎酬，以勸來者。自會昌至天福，垂六十年，其初李德裕平上黨，著武宗伐叛之書。其後康承訓定徐方，有武寧本末之傳。如此事類記述頗多，請下中外臣僚及名儒宿學，有於此六十年內撰述得傳記，及中書銀臺、史館日曆、制敕册書等，不限年月多少,並許詣闕進納。如年月稍多^①,記錄詳備,請特行簡拔,不限資序。臣與張昭等所撰《唐史》,祇叙本紀以綱帝業,列傳以述功臣,十志以書刑政。"《會要》。

本紀以綱帝業者,本紀之法,始於《春秋》,以事繫日,以日繫月,以月繫時,以時繫年,刑政無遺,綱條必舉,須憑長歷,以編甲子。請下司天臺,自唐高祖武德元年戊寅,至天祐元年,爲《甲子轉年長歷》一道,以憑編述本紀。同上。

列傳以述功臣者,古者衣冠之家,書於圖籍,中正清議,以定品類流,故有家史、家傳、族譜、族圖。江左百家,軒裳綴軌,山東四姓,簪組盈朝,隋唐以來,勳書王府,故士族子弟,多自紀世功,貴載簡編,以光祖考。請下文武兩班及藩侯郡牧,各叙兩代官婚名諱、行業功勳狀一本。如有家譜、家牒,亦仰送官,以憑纂叙列傳。

十志以書刑政者,五禮之書,代有沿革。至開元刊定,方始備儀。洎寶應以來,典章漸缺。其謁款郊廟、册拜王公、攝事相儀之文,車輅服章之數,請下太常禮院,自天寶以後至明宗朝以來,五禮儀注、朝廷行事,或異舊章,出據增損節文,一一備錄,以憑撰述《禮志》。同上。

四縣之學,不異前文。八佾之容,或殊往代。隋唐以來,樂無夷、夏,乃有文舞武舞之制、坐部之名。天寶之初,雲、韶大備。天寶之後,音律漸衰。郊廟殿庭,舊章斯缺。及咸秦蕩覆,鍾石淪亡,龍紀反正之年,有司特鑄懸樂,旋宮之義,徒有其文。請下太常寺,其四縣二舞增損始自何朝,及諸廟樂章舞名,開元十部興廢本末,一一按錄,以憑撰集《樂志》。同上。

刑名之制,代有輕重。隋唐以來,疏爲律令,累朝繼有制敕,

---

① "稍",原誤作"移",今據《五代會要》卷一八改。

相次增益。舊條格律之文，未能畫一。請下大理寺，自著律令以來後敕入格條者，及會昌以來所斷疑獄，一一闕報，以憑撰述《刑法志》。同上。

律歷五行、天文災異，史書實錄，前代具書。自唐季亂離，簡編淪落，太史所奏，不載冊書。請下司天臺，自會昌以來天文變異、五行休咎、曆法更改，更據朝代年月，一一條錄，以憑撰集《天文》、《律歷》、《五行》等志。同上。

唐初定官品令[①]：三公、三師爲第一品，尚書令、僕射爲第二品，兩省御史臺、寺監長官、六尚書爲第三品。自定令以後，官品繼升，比諸令文，前後同異，又有兼、攝、檢校之例，資授、冊拜之文。軍容或盛於朝儀，使務漸侵於省局，以此官無定令，位以賞功，臺府之權，隨時輕重。求諸官志，前代無聞。請下御史臺，自定令以後，文武兩班品秩升降，及府名使額、寺署興廢、官名更改，一一具析，以憑撰述《職官志》。同上。

唐初守邊，則有都督、總管之號。開元命將，則有節度、按察之名。故四塞之內，刺史多没於戎夷。九牧之中，乘寵遂遣於旄鉞。山河異制，名額實繁。請下兵部職方，自開元以來，山河地里、使名軍額、州縣之廢置，一一條例，以憑撰述《郡國志》。同上。

唐初以降，迄于開元，圖書大備，歷朝纂述，卷帙實繁。若不統而論之，何彰文雅之盛？請下祕書省，自唐以來，古今典籍經史子集、元撰人名氏、四部大數報館，以憑撰述《經籍志》。同上。

右所陳條例如前，請下所司從之。其月，起居郎賈緯奏曰："伏以唐高祖至代宗已有紀傳，德宗亦存《實錄》。武宗至濟

---

① "官"，原誤作"天"，今據《五代會要》卷一八改。

陰廢帝凡六代,唯有《武宗實録》一卷,餘皆缺略。臣今采訪遺文,及舊傳耆説,編成六十五卷,目爲《唐朝補遺録》以備將來史官條述。"至開運二年六月,史館上新修前朝李氏書,紀、志、列傳共五百二十卷,并《目録》一卷,都計二十帙,賜監修宰臣劉昫、修史官張昭遠、直館王申等繒綵銀器各有差。同上。後唐天成三年十二月,史館奏:據左補闕張昭狀,嘗讀國書,伏見懿祖昭烈皇帝自元和之初,獻祖文皇帝於太和之際,立功皇室,陳力國朝。太祖武皇自咸通後來勤王,戮力翦平多難,頻立大功,三換節旄,再安京國。莊宗皇帝終平大憝,奄有中原。儻闕編修,遂成湮墜。伏請與當館修撰,參序條綱,撰《太祖莊宗實録》者。伏見前代史館歸於著作,國初分撰《五代史》,方委大臣監修。自大曆後來,始奏兩員修撰,當時選任皆取良能,一代之書便成於手。其後源流失緒,波蕩不還,冒當修撰之名,曷揚褒貶之職①。及乎編修大典,即云別訪通才。況當館職在編修,合令撰述。敕宜依四年七月監修國史趙鳳奏,當館奉敕修懿祖、獻祖、太祖、莊宗四帝《實録》。②自今年六月一日起手,旋具進呈③。伏以凡關纂述,務合品題。承乾御宇之君,行事方云實録。追尊册號之帝,約文衹可紀年。所修前件史書,今欲自莊宗一朝名爲《實録》,其太祖以上,並自爲《紀年》。從之。其年十一月,史館上新修《懿祖太祖紀年録》共二十卷,《莊宗實録》三十卷。監修宰臣趙鳳、修撰張昭遠、吕咸休各賜繒綵銀器等。同上。應順元年閏正月,平章事監修國史李愚,與修撰判館事張昭

---

①　"揚"原誤作"揭",據《五代會要》卷一八改正。
②　"奉",原誤作"奏",據《五代會要》卷一八改正。
③　"進呈"之後原有"次"字,據《五代會要》卷一八改正。

遠等，進《新後唐功臣列傳》三十卷。同上。

清泰三年二月，門下侍郎平章事監修國史姚顗，上《明宗實錄》三十卷。同修撰官中書舍人張昭遠、李祥、直館左拾遺吳承範、右拾遺楊昭儉等，各頒賚有差。同上。

漢乾祐二年二月，敕左諫議大夫史館修撰賈緯、左拾遺直史館王伸，宜令同修《高祖實錄》，仍令宰臣蘇逢吉監修。至其年十月，修成《實錄》二十卷，上之。同上。

其年十二月，敕宜令監修國史蘇逢吉，與史館賈緯并竇儼、王伸等，修《晉朝實錄》呈進，從宰臣竇正固請也。同上。

周廣順元年七月，史館新修《晉高祖實錄》三十卷、《少帝實錄》二十卷，上之。同上。

顯德三年十二月，敕《太祖實錄》，并梁均王、唐清泰二主《實錄》，宜差兵部尚書張昭修。其同修撰官委張昭，定名奏請。至四年正月，兵部尚書張昭奏：奉敕編修《太祖實錄》及唐、梁二末主《實錄》，今請太子祭酒尹拙、太子詹事劉溫叟同編修。伏緣漢隱帝君臨太祖之前，其歷試之績，並在漢隱帝朝內，請先修《隱帝實錄》。又梁末主之上，有郢王友珪篡弒居位，未有紀錄，請依《宋書》劉劭例，書爲“元凶友珪”。其末主，請依古義，書曰“後梁實錄”。又唐末主之前有應順帝在位，四月出奔，亦未編紀，請書爲“前廢帝”，清泰主爲後廢帝，其書並爲《實錄》。從之。同上。

五年六月，兵部尚書張昭遠等修《太祖實錄》三十卷，上之。同上。

石晉宰相劉昫等撰，因韋述舊史增損以成，爲帝紀二十、列傳一百五十，繁略不均，校之《實錄》，多所闕漏。又是非失實之甚，至以韓愈文章爲大紕繆，故仁宗時刪改焉。《讀書志》。

張昭　唐書

昭以嗜學苦節，冠於搢紳。清資華貫，無所不歷。於唐末簡策遺墜之後，能糾合遺言，著成《唐書》。至於褒貶是非，咸得其理。蘇易簡《續翰林志》。

九朝實録

天成二年十二月，都官郎中庾傳美訪圖書，於三川孟知祥處，得《九朝實録》及雜書傳千餘卷，並付史館。同光已後，館中煨燼無幾，《九朝實録》堪濟其闕。《會要》。

續通曆十卷

荆南孫光憲撰。輯唐洎五代事，以續爲總曆，參以黃巢、李茂貞、劉守光、阿保機、吳唐、閩廣、吳越、兩蜀事迹，太祖詔毀其書，以所紀多非實也。《讀書志》。

帝王鏡略一卷

唐劉軻撰。自開闢迄唐初帝王世次，綴爲四言，以訓童蒙。僞蜀馮鑑續之，至唐末。同上。

《唐志》及《館閣書目》有劉軻《帝王曆歌》一卷，疑即此書也。《書録解題》。

唐年通録六十五卷

後晉起居郎、史館修撰鉅鹿賈緯，以武宗後無《實録》，故爲此書，終唐末，其實補《實録》之缺也。雖論次多缺誤，而事跡頗存，亦有補於史氏。同上。

備忘小鈔十卷

僞蜀文谷撰。雜鈔子史一千餘事，以備遺忘。其後題“廣政三年”，廣政，王衍年號也。《讀書志》。

梁太祖實録

見《宋史·藝文志》。

後唐莊宗實録三十卷

監修趙鳳、史官張昭遠撰，天成四年上。《書録解題》。

後唐明宗實録三十卷

監修姚顗、史官張昭遠撰，清泰三年上。同上。

後唐廢帝實録十七卷

張昭、尹拙、劉温叟撰。按昭本傳：撰梁均王、郢王、後唐愍帝、廢帝、漢隱帝《實録》，惟梁二王年祀浸遠，事皆遺失，遂不修。餘三帝《實録》皆藏史閣，周世宗時也。蓋昭本撰《周祖實録》，以其歷試之迹多在漢隱帝時，故請先修《隱録》，因併及前代云。同上。

晉高祖實録三十卷
晉出帝實録二十卷

漢隱帝乾祐二年，貞固上言：臣伏覩上自軒昊，下及隋唐，歷代帝王享國年月，莫不裁成信史，載在明文。或編修只自於本朝，或追補亦從於來者，曾無漏略，咸有排聯。蹤跡相尋，源流可別。五運生成之道於是乎彰明，一時褒貶之書因兹而昭著。古既若此，今亦宜然。輒敢上言，庶裨有作。伏以晉高祖洎少帝兩朝，臨御一紀光陰，雖金德告衰，蓋歸曆數。而炎靈復盛，固有階緣。先皇帝昔在初潛，會經所事，舜有歷試之迹，禹陳俾乂之功。載尋發漸之繇，實謂邦基之本。近見史臣修《高祖實録》，神功聖德，靡不詳明。述漢之興，繇晉而起，安可遺落朝代，廢闕編修？更若日月滋深，耳目不接，恐成湮没，莫究端繇。伏惟皇帝陛下德洽守文，功宣下武，化家爲國，□觀王業之源，[1]續聖繼明，益表帝圖之美，舊章畢舉，墜典聿修。伏乞睿慈，敕史官纂集《晉朝實録》，敕五運相承，歷代而猶傳鳳紀。百王垂訓繼明，而具載鴻猷。況今司契御

----

[1]　“□”，《册府元龜》作“備”。所引文字與《册府元龜》卷五百五十七略同。

乾，握圖纂極，事每循於師古，政必究於源流。迨自金行，成茲火德，所請編録，庶補闕文。其《晉朝實録》，宜令監修國史蘇逢吉，與史官賈緯、竇儼、王伸等修撰呈進。

周太祖廣順元年七月，竇貞固上言：臣監修國史時，奉詔修《晉朝實録》。伏以皇帝陛下武功定業，文德化民，河圖洛書，將薦聖明之瑞。商俗夏諺，無輕典誥之資。厚言貽誡以弘心，彰往考來而在念。臣等任叨南董，才媿班、荀，屬辭虧朗暢之功，總論寡精微之識。秩無文於昭代，浪塞闕如。收遺韻於傳文，冀開來者。奉兹鉛槧，賞以油緗。同傾獻扶之心，上副成書之命。所撰《晉高祖實録》三十卷、《少帝實録》二十卷，謹詣東上閣門呈進。敕貞固等羣書覘奧，直筆記言，成一代之明文，繼百王之盛典。豈特洪纖靡漏，抑亦褒貶有彰，將播無窮，永傳不朽。雖重褒美，頃刻不忘。《竇貞固傳》。

監修竇貞固、史官賈緯、王伸、竇儼等撰，周廣順元年上。貞固字體仁，同州人，相漢。至周罷歸洛陽，國初卒。《書録解題》。

漢高祖實録十七卷

監修蘇逢吉、史官賈緯等撰，乾祐二年上。書本二十卷，今缺末三卷，《中興書目》作十卷。同上。

漢隱帝實録十五卷

張昭等撰，事已見前。同上。

周太祖實録三十卷

張昭等撰，顯德五年上。昭即昭遠，字潛夫，濮上人。避漢祖諱，止稱昭。逮事本朝，爲吏部尚書。開寶五年卒。同上。

周世宗實録四十卷

監修官晉陽王溥齊物、修撰范陽扈蒙日用撰。同上。

蜀高祖實録三十卷[①]

偽蜀李昊撰。高祖者,孟知祥也。昊相知祥子昶時,被命撰。起唐咸通甲午,終於偽明德行元年甲子,凡六十一年。《讀書志》。

五代通録六十五卷

皇朝范質撰。《五代實録》計三百六十卷,質删其煩文,摭其妄言,以成是書。自乾化壬申至梁亡,十二年間,簡牘散亡,亦采當時制敕碑碣,以補其闕。《讀書志》。

王溥　五代會要三十卷

見《宋史·藝文志》。

後唐功臣列傳

天成二年十二月,同州節度使盧質準敕録太祖、莊宗兩朝功臣書,詔以進之。《册府元龜》。

四年正月十一日,史館奏當館先奉敕修撰《功臣列傳》。元奏數九十二人,館司分配見在館官員修撰。其間亦有不是中興以來功臣,但據姓名便且分配修撰,將求允當,須在品量。其間若實是功臣中興社稷者,須校其功勳大小,德業輕重,次第纂修,排列先後。今請應不是中興以來功臣,汎將行狀送館者,若其間事有與正史、實録、列傳内事相連絡者,則請令附在紀傳内,簡略書出。其無功於國,無德於人,但述履行身名,或録小才末伎。儻無可以垂訓者,並請不在編修之限。伏自有史傳以來,歷代咸有著述,皆存定制,不可更張。如《前漢》止述蕭、曹、絳、灌之流,《後漢》但書寇、鄧、耿、賈之列,並同翼戴,咸共匡扶。爵號功臣,先爲列傳。其餘宗室、外戚、文苑、儒林、游俠、逸人、循吏、酷吏之屬,名目甚衆,各有篇題,並隨其次第撰述。其大惡大善之人,有善若周、孔、

---

① 此書名原脱,據《郡齋讀書志》卷六補。

夷、齊，惡若敦、玄、莽、卓，亦各特爲著撰，不附傳記編修，或
爲世家，或爲列傳，蓋欲取監前代，垂則後人，不可雷同，請令
區別。其功臣未納到行狀者，館司見更催促，候到即更分配
修撰。大凡行狀皆是門人故吏叙述，多有虛飾文華。今請此
後所納行狀，並須直書功業，不得虛文詞。其已納到行狀合
著撰者，仍請委修撰官略其浮辭，采其實事。從之。會要。

中朝故事二卷

僞唐尉遲偓撰。記唐懿、昭、哀三朝故事，故曰中朝。《讀書志》。

三朝見聞録八卷

不知作者。起乾符戊戌，至天祐末年，及莊宗中興、後唐河東
事跡。① 三朝者，僖、昭、莊也。其文直，述多鄙俚。《書録解題》。

廣陵妖亂志三卷

晉陽鄭廷誨撰。言高駢、呂用之、畢師鐸等事。同上。

汴水滔天録一卷

唐左拾遺王摅撰。言朱温篡逆事。同上。

朱梁興創遺編二十卷

梁宰相敬翔子振撰。自廣明巢賊之亂、朱温事迹，迄於天祐
弑逆，大書特書，不以爲媿也。其辭亦鄙俚。同上。

莊宗胎禍録一卷

後唐中書舍人黄彬撰。同上。

入洛記一卷

蜀王仁裕隨王衍降，入洛陽，記往返塗中事，并其所著詩。《讀
書志》。

賈氏備史六卷

漢諫議大夫賈譚譔。叙石晉禍亂，每一事爲一詩繫之。《書録解題》。

---

① “唐”，原奪，據《四庫全書》本《直齋書録解題》補正。

晉太康平吳記二卷

周吏部尚書張昭撰。世宗將討江南，昭采晉武平孫皓事跡爲書，上之。《文獻通考》。

大唐補記三卷

南唐程匡柔撰。《序》言懿宗朝有焦璐者撰《年代紀》，述神堯，止宣宗。匡柔襲摭《三百年歷》，補足十九朝。起咸通戊子，止癸巳，附璐書中。乾符以後備存《補記》，末有《後論》一篇，文詞雖拙，議論亦正。《書錄解題》。

五代登科記一卷

不著名氏。前所謂崔氏書至周顯德止者，殆即此耶？館中有此書。洪丞相以國初卿相多在其中，[①]故并傳之。同上。

敦煌新録一卷

有《序》稱天成四年沙州傳舍集，[②]而不著名氏，蓋當時奉使者。叙張義潮本末及彼土風物甚詳。涼武昭王時有劉炳者，著《敦煌實録》二十卷，故此號《新録》。同上。

渚宮故事五卷

後周太子校書郎余知古撰。載荆楚事，自鬻熊至唐末。本十卷，今止晉代，缺後五卷。同上。

南唐烈祖開基志十卷

南唐滁州刺史王顏撰。起天祐乙丑，止昇元癸卯，合三十九年。同上。

南唐烈祖實録十三卷

南唐史館修撰高遠撰。缺第八、第十二卷。遠又嘗爲《吳録》二十卷，而徐鉉、鄭文寶皆云，開寶中，遠始輯昇元以來事，書

---

① “丞”，原誤作“承”，據《四庫全書》本《直齋書錄解題》改正。
② “有”原誤作“自”，據《四庫全書》本《直齋書錄解題》改正。

未成而疾，焚其草，故事多遺落。同上。

蜀桂堂編事二十卷

偽蜀楊九齡撰。雜記孟氏廣政中舉試事，載詩賦策題及知舉登科人姓氏，且云科舉起於隋開皇前，陋者謂唐太宗時，非也。《讀書志》。

前蜀記事二卷

偽蜀學士毛文錫平珪撰。起唐明庚子，盡天福甲子，凡二十五年。文錫，唐太僕卿龜範之子，十四登進士第。入蜀，仕建至判樞密院，隨衍入洛而卒。《書錄解題》。

吳越備史九卷

吳越掌書記范坰、巡官林禹撰。按《中興書目》，其初十二卷，盡開寶三年。後又增三卷，至雍熙四年。今書止石晉開運，比初缺三卷。同上。

後蜀記事十卷

直史館太常博士董淳撰。惟記孟昶事。同上。

吳越備史遺事五卷

全州觀察使錢儼撰。俶之弟也。其《序》云《備史》亦其所作，託名林、范，而遺名墜跡，①殊聞異見，闕漏未盡者，復爲是編。時皇宋平南海之二年，吳興西齋序。蓋開寶五年也。儼以三年代其兄偡刺湖州。同上。

閩中實錄十卷

周顯德中，揚州永貞縣令蔣文懌撰。記閩王審知父子及將吏、儒士、僧道事迹，末亦略及山川土物。同上。

閩王列傳一卷

祕書監晉江陳致雍撰。二世七主，通六十年。同上。

---

① "而遺名墜跡"，"而"原奪，"墜"誤作"墮"，據《四庫全書》本《直齋書錄解題》補、改。

閩王事迹一卷

不知何人作,末稱光啓二年至天聖元年,一百三十八年,所記頗詳。_{同上。}

三楚新録三卷

知桂州修仁縣周羽沖撰。上卷爲湖南馬殷,中卷爲武陵周行逢,下卷爲荆南高季興。_{同上。}

湖南故事十卷

不知作者。記馬氏至周行逢事。《館閣書目》作十三卷,蓋爲列傳十三篇,其實十卷也。_{同上。}

五國故事二卷

不知作者。記吴、蜀、閩、漢諸國事。_{同上。}

海外使程廣記三卷

南唐如京使章僚撰。使高麗所記海道,及其國山川、事跡、物產甚詳。史虚白爲作《序》,稱己未十月,蓋本朝開國前一歲也。_{同上。}

史館故事録三卷

不題撰人姓名。記史館,雜分六門,迄於五代。李獻臣以爲後周史官所著。_{《讀書志》。}

六門,曰叙事、史例、編修、直筆、曲筆,而終之以雜録。末稱皇朝廣訓,則是周朝史官也。_{《書録解題》。}

金坡遺事三卷

皇朝錢惟演,載國朝禁林雜儀式事迹①,并學士名氏。文元公述真宗禮待儒臣三事,附於卷末。_{《讀書志》。}

題名自建隆至天聖四年,凡四十七人。自開元而下,合三百一十五人。其他典故,視前記詳矣。_{《書録解題》。}

---

① "雜"字,據《郡齋讀書志》卷七補。

開元天寶遺事四卷

漢王仁裕撰。仁裕事蜀至翰林學士,蜀亡,仁裕至鎬京,采摭民言,得開元、天寶遺事一百五十九條後,分爲四卷。《讀書志》。容齋洪氏《隨筆》曰:"俗間所傳淺妄之書,所謂《雲仙散錄》、《開元天寶遺事》之屬,皆絶可笑。《遺事》託云王仁裕所著,仁裕五代時人,雖文章乏氣骨,恐不至此。姑析其數端以爲笑,其一云姚元崇開元初作翰林學士,有步輦之召。按元崇自武后時已爲宰相,及開元初,三入輔矣。其二云郭元振少時美風姿,宰相張嘉貞欲納爲壻,遂牽紅絲線,得第三女,果隨夫貴達。按元振爲睿宗宰相,明皇初年即貶死。後十年,嘉貞方作相。其三云楊國忠盛時,朝之文武爭附之以求富貴,惟張九齡未嘗及門。按九齡去相位十年,國忠方得官耳。其四云張九齡覽蘇頲文卷,謂爲文陣之雄師。按頲爲相時,九齡元未達也。此皆顯然可言者,固陋淺不足攻,然頗能疑誤後生也。惟張象指楊國忠爲冰山事,《資治通鑑》亦取之,不知別有何據。近歲興化軍學刊《遺事》,南劍州學刊《散錄》,皆可毀。"《文獻通考》。

秦王貢奉錄二卷

樞密使吳越錢惟演希聖撰。記其父俶貢獻及賜賚之物。《書錄解題》。

家王故事一卷

錢惟演撰。記其父遺事二十二事,上之,以送史院。同上。

戊申英政錄一卷

婺州刺史錢儼撰。記其兄俶事跡,俶以戊申正月嗣位。同上。

玉堂逢辰錄二卷

錢惟演撰。其載祥符八年四月,榮王宮火,一日二夜,所焚屋宇二千餘間。左藏、內藏、香藥諸庫及祕閣、史館,香聞數十里。三館圖籍一時俱盡，大風或飄至汴水之南。惟演獻禮賢宅以處諸王。以此觀之，唐末、五代書籍之僅存者，又厄於此火，可爲太息也。同上。

疑獄三卷

石晉和凝撰。纂史傳決疑獄事，其上卷凝書也，下中卷凝子㟒所續。《讀書志》。

均田圖

見《周世宗本紀》。

親征圖

周顯德五年，七月己丑，賜宰臣李穀《親征圖》一面，其文則翰林學士承旨陶穀之所撰也。《冊府元龜》。

青城山記一卷

僞蜀道士杜光庭賓聖撰。集蜀山若水在青城者，悉本道家方士之言。《讀書志》。

武夷山記一卷

杜光庭撰。《書錄解題》。

南行記三卷

王仁裕撰。晉天福二年，仁祐被命使高季興，記自汴至荆南道途賦詠及飲宴倡酬，殆百餘篇。《讀書志》。

地理手鏡一卷

梁蕭衡州長史劉騭自明州進之。《冊府元龜》。

李昊　蜀書三十卷

見《宋史·藝文志》。

江南錄十卷

皇朝徐鉉等撰。鉉等自江南歸朝，奉詔集李氏時事。王介甫嘗謂鉉書至亡國之際，不言其君之過，但以歷數存亡論之，於《春秋》箕子之義爲得也。雖然，潘佑以直見殺，而鉉書佑死

以妖妄，殆與佑爭名，且取其善不及佑，故匿其忠，污之以罪
耳。若然，豈惟厚誣忠臣，其欺吾君，不亦甚乎？世多以介甫
之言爲然，獨劉道原得佑子萃所上其父事跡，略與《江南録》
所書同，乃知鉉等非欺誣也。《讀書志》。

徐鉉、湯悦撰。二人皆唐舊臣，故太宗命之撰。湯悦，即殷崇
義。避宣祖諱，并姓改焉。《書録解題》。

南唐近事二卷

皇朝鄭文寶撰。編記李氏三主四十年間雜事。《讀書志》。

起天福乙酉，終開寶乙亥。然泛記雜事，實小説、傳記之流
耳。《書録解題》。

江表志三卷

鄭文寶撰。《序》言徐鉉、湯悦所録，事多遺落，無年可編。然
前録固爲略，而猶以年月記事，今此書亦止雜記各事實之類
耳。近事稱太平興國二年丁丑，今稱庚戌者，大中祥符三年。
《讀書志》。

子類

范氏注太玄經解十卷

吳范望叔明注。其《序》云：“子雲著《玄》，桓譚以爲絶倫，張衡以擬《五經》[①]。自侯芭受業之後，希有傳者。建安中宋衷、陸績解釋之，文字繁猥，今以陸爲本，録宋所[②]長，訓理其義，爲十卷耳。以《首》分居本經之上，以《測》散處贊辭之下。其前又有陸績《序》，以子雲爲聖人云。”《讀書志》。

北夢瑣言二十卷

荆南孫光憲撰。光憲蜀人，從陽玭、元證遊，多聞唐世賢哲言行，因纂輯之，且附以五代十國事，取傳“田於江南之夢”，自以爲高氏從事在荆江之北，故命編云。同上。

光憲仕荆南高從誨爲黄州刺史，三世在幕府。後隨繼沖入朝，有薦於太祖者，將用爲學士，未及而卒。光憲自號葆光子。《書録解題》。

法語二十卷

南唐劉鶚撰。甲戌歲，擢南唐進士第，實開寶七年也。著書凡八十一篇，言治國立身之道。徐鉉爲之序。《讀書志》。

宋齊丘化書六卷

僞唐宋齊丘子嵩撰。張耒文潛嘗題其後云：“齊丘之意，特犬鼠之雄耳，蓋不足道其爲《化書》。雖皆淺機小數，亦微有以見於黄老之所謂道德，其能成功，有以也。吾嘗論黄老之道德於清淨無爲，遣去情累，而其末多流而爲智術刑名，何哉？

---

①　“五”原誤作“吳”，據《郡齋讀書志》卷十改。
②　“所”，原誤作“無”，據《郡齋讀書志》卷十改。

仁義生於恩，恩生於人情，聖人節情而不遣者也。無情之至，
至於無親，無親則忍矣。此刑名之所以用也。文章頗高簡，
有可喜者，其言曰君子有奇志，天下不親。雖聖人出，斯言不
廢。"《讀書志》。

兩同書二卷

唐羅隱撰。隱謂老子養生，孔子訓世，因本之，著內外篇各
五。其曰《兩同書》者，取兩者同世而異名也。同上。

陳氏曰："不著姓氏。《中興書目》云唐吳筠撰，《唐藝文志》
同，但入小說類。采孔、老爲內外十篇，名《祝融子兩同書》。
祝融者，謂鬻子，爲諸子之首也。"《書錄解題》。

唐羅隱撰。采孔、老二書，著爲內外十篇。以老子修身之説
爲內，孔子治世之道爲外，會其旨而同元。《崇文總目》。

格言五卷

僞唐韓熙載叔言撰。熙載以經濟自任，乃著書二十六篇，論
古今王伯之道，以干李煜。首言陽九百六之數及五運迭興
事，其驕雜如此。有門人舒雅《序》。《讀書志》。

中華古今注三卷

後唐太學博士馬縞撰。蓋推廣崔豹之書也。《書錄解題》。

續事始五卷

僞蜀馮鑑廣孝孫所著。《讀書志》。

金華子三卷

唐劉崇遠撰。金華子，其自號，蓋慕黃初平爲人也。錄唐大
中後事。一本題曰《劉氏雜編》。同上。

崇遠，五代時人，仕至大理司直。《書錄解題》。

皮氏見聞錄五卷

五代皮光業撰。唐末爲餘杭從事。記當時詭異見聞，自唐乾
符四年，迄晉天福二年，自號鹿門子。《讀書志》。

紀聞談三卷

蜀潘遠撰。《館閣書目》:"按李淑作潘遺,今考《邯鄲書目》亦作潘遠,其曰遺者,本誤也。所記隋、唐遺事。"[①]《書録解題》。

鑑誡録十卷

後蜀何光遠撰。字輝夫,東海人。廣政中[②],輯唐以來君臣事迹可爲世鑑者,前有劉曦度《序》,李獻臣云不知何時人,考之不詳也。[③]《讀書志》。

稽神録六卷

南唐徐鉉撰,記怪神之事。《序》稱自乙未歲至乙卯,凡二十年,僅得百五十事。楊大年云:"江東布衣蒯亮好大言夸誕,鉉喜之,館於門下。《稽神録》中事,多亮所言。"同上。

陳氏曰:"元本十卷,今無卷第,總作一卷。當自是他書中録出者。"《書録解題》。

賈氏談録一卷

南唐張洎奉使來朝,録賈黃中所談三十餘事,歸獻其主。《讀書志》。

茶譜一卷

僞蜀毛文錫撰。記茶故事,其後附以唐人詩文。同上。

蠶書二卷

孫光憲撰。《書録解題》。

六壬翠羽歌一卷

後唐長興中僧令岑撰。錯誤極多,未有他本可校。同上。

石本金剛經一卷

南唐保大五年,壽春所刻。乾道中,劉岑崇高再刻於建昌軍,不分三十二分,相傳以爲最善。同上。

自然經五卷

---

① "記隋",原誤作"計隨",據《四庫全書》本《直齋書録解題》改正。
② "廣政",原誤作"唐證",今據《郡齋讀書志》卷十三改。
③ "詳",原作"誤",據《四庫全書》本《郡齋讀書志》改。

後唐光録少卿長安尹玉羽撰。晉高祖即位，上之。《册府元龜》。

道德經疏節解上下各二卷

僞蜀喬諷撰。諷仕僞蜀爲諫議大夫、知制誥，奉詔以唐明皇注疏杜光庭義，綴其要，附以己意解釋之。《崇文總目》。

參同契分章通真義三卷　明鏡圖訣一卷

真一子彭曉秀川撰。[①] 蜀永康人也。《參同契》因《易》以言養生，後世言修鍊者祖之。《序》稱廣政丁未，[②] 以《參同契》分十九章，而爲之注，且爲圖八環，謂之《明鏡圖》。曩在麻姑山傳録，其末有《秀川傳》。汪綱所刻會稽本，其前題祠部員外郎彭曉，蓋據祕閣本云爾。麻姑本附傳亦言仕蜀爲此官。《書録解題》。

道教靈驗記二十卷

蜀道士杜光庭撰。同上。

釋氏六帖[③]

周世宗顯德元年九月，齊州僧義楚進《釋氏六帖》三十卷。義楚少負名操，亦通儒學。將佛書麗事，以類相從，擬白氏儒書所集。帝覽而嘉之，賜以紫衣，其書付史館。《南越世家》。

王氏神仙傳四卷

蜀杜光庭纂。集王氏男真女仙五十五人，以諂王建。又有王虚中續纂三十人附其後。《讀書志》。

當王氏有國時，爲此書以媚之。謂光庭有道，吾不信也。《書録解題》。

諸史提要十五卷

參政吳越錢端禮處和撰。泛然鈔録，無義類。同上。

---

①　"秀川"，原誤作"秀州"，據《四庫全書》本《直齋書録解題》改正。下同。

②　"政"，原奪，據《四庫全書》本《直齋書録解題》補。

③　此處引《南越世家》云"三十卷"。《崇文總目》卷十云"十四卷"，《通志》卷六十七云"四卷"。

集類

滑稽集四卷

翰林學士吳越錢希白撰。多譎諷之辭，淳化癸巳自序。①《書錄
解題》。

沈顏　聲書十卷②

僞吳沈顏，字可鑄。傅師之孫，天復初進士，爲校書郎。屬國
亂離，奔湖南，辟巡官吳國建爲淮南巡官禮儀使、兵馬郎中、
知制誥、翰林學士，順義中卒。顏少有詞藻，琴棋皆臻妙。場
中語曰下水船，言爲文敏速，無不載也。性閒淡，不樂世利，
嘗疾當時文章浮靡，倣古著書百篇，取元次山聲叟之説附己
志而名書。其《自序》云"自孟軻以後千餘年，經百千儒者，咸
未有聞焉。天厭其極，付在鄙子"，其夸誕如此。《讀書志》。

顏，傅師之孫。其文訛駁，而《自序》之語極其矜負。《書錄解題》。

羅隱　甲乙集十卷　讒書五卷

杭越羅隱，字昭諫，餘杭人。唐乾符中，舉進士不第。從事諸
鎮皆無合，久之，而歸錢鏐，辟掌書記，歷節度判官副使，奏授
司勳郎中。梁祖以諫議大夫召，不行。魏博羅紹威推爲叔
父，表薦給事中，卒。隱少聰敏，作詩著文以譏刺爲主，自號
江東生。其集皆自爲《序》。又有《吳越掌記集》一卷，隱掌錢
鏐記室所著表啓也。《讀書志》。

《甲乙集》皆詩，《後集》五卷，有律賦數首。《湘南集》者，長沙
幕中應用之文也。隱又有《淮海寓言》、《讒書》等，求之未獲。

---

① "自"，原誤作"司"，據《四庫全書》本《直齋書錄解題》改正。

② "聲書"，原誤作"贅書"，據《四庫全書》本《直齋書錄解題》與《郡齋讀書志》改正。

《書録解題》。

羅江東集十卷

唐羅隱昭諫撰。同上。

偷江東集

魏博節度使羅紹威，遣使賂遺羅隱，叙南巷之敬，隱乃叙其所爲詩投寄之，紹威酷嗜其作，因目己之所爲曰《偷江東集》，至今鄴中人士諷詠之。紹威嘗有《公讌詩》曰："簾前澹泊雲頭日，座上蕭騷雨脚風。"雖深於詩者，亦所歉服。紹威密表薦隱，乃授給事中，終於錢塘。《册府元龜》。

李後主集十卷

僞唐主李煜重光也。少聰悟，喜讀書屬文，工書畫，知音律。建隆三年，嗣僞位。開寶八年，王師克金陵，封違命侯。太平興國三年，終隴西郡公，贈吳王。江鄰幾《雜志》云，爲秦王廷美所毒而卒。《讀書志》。

王酷好文辭，多所述作，洞曉音律，精別雅鄭。窮先王制作之意，審風俗淳薄之原，爲文論之，以續《樂記》。所著文集三十卷，雜說百篇，味其文，知其道矣。徐鉉《隴公墓志》。

南唐二主詞一卷

中主李璟、後主李煜撰。卷首四闋，《應天長》、《望遠行》各一，《浣溪沙》二，中主所作，重光嘗書之，墨迹在旴江晁氏，題云先皇御製歌詞，①余嘗見之，於麥光紙上作撥鐙書，有晁景迂題字，今不知何在矣。餘詞皆重光作。《書録解題》。

韓熙載文集五卷

僞唐韓熙載，字叔言，北海人，後唐同光中進士。南奔江淮，李昇建國，用爲祕書郎，使與其子璟遊。璟嗣位，爲虞部員外、史

---

①　"題"，原誤作"趙"，據《四庫全書》本《直齋書録解題》改正。

館修撰兼太常博士、知制誥。頃之,請誅陳覺,黜和州司馬。復召中書舍人,累遷兵部尚書。第宅華侈,伎樂四十餘人,不加檢束,時人比徐之才。璟屢欲倚以爲相,用是不果。後左授右庶子分司,乃盡斥羣妓,單車引道,留爲祕書監。俄復位,已而其去妓皆還。熙載天才俊敏,工隸書及畫,聲名冠一時。自朱元叛後,煜頗疑北人,多因事誅之。熙載愈益淫縱。然喜延譽後進,如舒雅等,後多知名。諡曰文。《讀書志》。

孫晟文集三卷

南唐孫晟字□鳳,① 密州人。好學,有文辭,尤長於詩。少爲道士,常畫島像,置於屋壁,晨夕事之。後乃儒服謁唐莊宗於鎮州,莊宗以爲著作佐郎。天成中奔吳,李昪父子用爲相。周世宗征淮,璟懼,遣晟奉表求和。世宗召問江南事,不對,殺之。璟聞,贈魯國公。同上。

潘佑　滎陽集十卷

僞唐潘佑,金陵人。韓熙載薦於璟,授祕書正字、直崇文館。煜時爲虞部員外、史館修撰、知制誥、中書舍人。佑性貞介,文章贍逸,尤長議論。坐言事悖慢,下獄自頸死。人頗言張洎譖之。同上。

成彥雄　梅頂集一卷

南唐成彥雄,江南進士。有劉鉉《序》。同上。

徐常侍集三十卷

南唐徐鉉,字鼎臣,廣陵人。仕楊溥爲祕書郎、直宣徽北院,掌文翰。李昪時知制誥,煜時累遷翰林學士,歸朝爲直學士院、給事中、散騎常侍。淳化初,坐累黜靜難軍司馬。鉉初至京師,見御毛褐者輒哂之。邠苦寒,竟以冷氣入腹而卒。鉉

---

① "□",《四庫全書》本《郡齋讀書志》、《文獻通考》並無字,不空圍。

幼能屬文，尤精小學，文思敏速，凡所撰述，常不喜預作。有
欲從求其文者，必戒臨事即來請，往往執筆立就，未嘗沈思。
常曰文速則意思敏壯，緩則體勢疏慢。同上。

其二十卷，仕江南所作。餘十卷，歸朝後所作也。所撰《國主
李煜墓銘》，婉微有體，《文鑑》取之。《書錄解題》。

田霖　四六集一卷

南唐田霖撰。《讀書志》。

孫光憲　鞏湖編三卷

荆南孫光憲，字孟文，陵州人。王衍降唐，避地荆南。從誨辟
掌書記，歷檢校祕書監、御史大夫。王師收闐州，光憲勸其主
獻三州地。乾德中終黃州刺史，自號葆光子。同上。

扈載集十卷

後周翰林學士范陽扈載仲熙撰。少俊早達，年二十六以死。
其子蒙，顯於國朝。同上。

張蠙詩一卷

僞蜀張蠙，字象文，清河人。唐乾寧中進士，爲校書郎、櫟陽
尉、犀浦令。建開國，拜膳部員外郎，後爲金堂令。王衍與徐
后游大慈寺，見壁間書"牆頭細雨垂纖草，水面回風聚落花"，
愛之，問知蠙句，給札令以詩進。蠙以二百首獻，衍頗重之。
將召爲知制誥，宋光嗣，以其輕傲，止賜白金而已。蠙生而穎
秀，幼能爲詩，作《登單于臺》，有"白日地中出，黃河天外來"
之句，爲世所稱。同上。

盧延讓詩一卷

僞蜀盧延讓，字善也，范陽人，唐光化九年進士。朗陵雷滿
辟。滿敗，歸王建。及僭號，授水部員外郎。累遷給事中，卒
官終刑部侍郎。延讓詩、薛能詩不尚奇功，人多誚其淺俗，獨
吳融以其不蹈襲，大奇之。同上。

牛嶠　歌詩三卷

偽蜀牛嶠,字延峯,隴西人。唐相僧孺之後。博學有文,以歌詩著名。乾符五年進士,歷拾遺補闕、尚書郎。王建鎮西蜀,辟判官。及開國,拜給事中,卒。集本三十卷,《自序》云竊慕李長吉所爲歌詩,輒效之。同上。

韋莊　浣花集五卷

偽蜀韋莊,字端己,仕王建至吏部侍郎、平章事。集乃其弟藹所編,以所居即杜甫草堂舊阯,故名。偽史稱莊有集二十卷,今止存此。同上。

沈彬集一卷

南唐沈彬,保大中以尚書郎致仕,居高安。集中有與韋莊、杜光庭、貫休詩。唐末,三人皆在蜀,疑其同時避亂,嘗入蜀云。上李昇《山水圖詩》,在焉。同上。

武庫集五十卷

後唐尹玉羽撰。《册府元龜》。

熊皦　屠龍集五卷

晉熊皦,後唐清泰二年進士,爲延安劉景巖從事。天福中,說景巖歸朝,擢左司諫。坐累出上津令。集有陶穀《序》。陳沆《賞皦早梅》云"一夜欲開盡,百花猶未知",曰"太妃容德,于是乎在"。陳氏曰:"集中多下第詩,蓋老於場屋者。"《讀書志》。

鼎國詩三卷

後唐李雄撰。雄,洛鞏人。莊宗同光甲申歲遊金陵、成都、鄴下,各爲《詠古》詩三十章,以三國鼎峙,故曰《鼎國》。同上。

李有中詩二卷

南唐李有中,嘗爲新塗令,與水部郎中孟賓于善。賓于稱其詩如方干、賈島之徒。賓于，天福中進士也。有中集中有《贈韓張徐三舍人》詩，韓乃熙載，張乃洎，徐乃鉉也。《春月》詩云“乾坤一夕雨，草木萬方春”，頗佳，他皆稱是。同上。

盧士衡集一卷

後唐盧士衡撰。天成二年進士。《書録解題》。

劉昭禹集一卷

湖南天策府學士桂陽劉昭禹撰。同上。

苻蒙集一卷

題苻侍郎，同光三年進士也。同年四人，蒙初爲狀頭，覆試爲第四。同上。

李建勳集一卷

南唐宰相李建勳撰。同上。

孟賓于集一卷

五代進士孟賓于撰。仕湖南、江南。同上。

廖匡圖集一卷

湖南從事廖匡圖撰。同上。

江爲集一卷

五代建安江爲撰。爲王氏所誅，當漢乾祐中。同上。

劉乙集一卷①

似唐末五代人。②《藝文志》不載。其詩怪而不律，亦不工。同上。

花蕊夫人詩一卷

僞蜀孟昶愛姬，青城費氏女，幼能屬文，長於詩，宮詞尤有思致。蜀平以俘，輸織室。後有罪，賜死。《讀書志》。

---

①　“劉乙”，原作“劉一”，據《四庫全書》本《直齋書録解題》改正。
②　“人”，原作“末”，據《四庫全書》本《直齋書録解題》改。

伍喬集一卷

本江南進士，後歸朝。《書錄解題》。

陽春錄一卷

南唐馮延巳撰。高郵崔公度伯易題其後，稱其家所藏最爲詳確，而《尊前》、《花間》諸集，往往謬其姓氏。近傳歐陽永叔詞亦多有之，皆失其真也。世言"風乍起"爲延巳作，或曰成幼文也。今此集無有，當是幼文作。長沙本以置此集中，殆非也。同上。

束漢文類三十卷

五代竇儼編。《讀書志》。

續本事詩二卷

僞吳處常子撰。未詳其人。自有《序》云："比覧孟初中《本事詩》，輒搜篋中所有，依前題七章，類而編之，皆唐人詩也。"同上。

才調集十卷

後蜀韋縠集唐人詩。《書錄解題》。

洞天集五卷

漢王貞範集道家、神仙、隱逸詩篇，漢乾祐中也。同上。

煙花集五卷

蜀後主王衍集豔詩二百篇，且爲之序。同上。

羣書麗藻六十五卷

按《三朝藝文志》一千卷，崔遵度編。《中興館閣書目》但有《目錄》五十卷，云南唐司門員外郎崔遵度撰。以六例總括古今之文，一曰六籍瓊華，二曰信史瑤英，三曰玉海九流，四曰集苑金鑾，五曰絳闕蕊珠，六曰鳳首龍編。爲二百六十七門，總一萬三千八百首。今無《目錄》，合三本，共存此卷數。斷續訛缺，不復成書，當其傳寫時，固已如此矣。其目只有四種，無"金鑾"、"蕊珠"二類，姑存之，以備缺文。按《江南餘

録》載，遵度，青州人，居金陵，高尚不仕。《中興書目》云司門
郎，未知何據也。同上。

<h1 style="text-align:center">文史</h1>

錦樓集

元瓘幼聰敏，少親吏事，有詩千篇，編其尤者三百篇，命曰《錦
樓集》。《册府元龜》。

東堂集十卷

後唐翰林學士竇夢徵撰。夢徵少苦心爲文，尤長於牋啓，編
爲十卷，目曰《東堂集》，行於世。《册府元龜》。

丁年集

曾翰林學士李瀚，從少主入蕃，契丹主以其才，特留之，竟卒
於蕃中。其後人有得其文章者，題曰《丁年集》，蓋取蘇武丁
年奉使之義。《册府元龜》。

香匳集

和魯公凝有豔詞一編，名《香匳集》。凝後貴，乃嫁其名爲韓
偓。今世傳韓偓《香匳集》，乃凝所爲也。凝生平著述，分爲
《演綸》、《游藝》、《孝悌》、《疑獄》、《香匳》、《籝金》六集，自爲
《游藝集序》云："予有《香匳》、《籝金》二集，不行於世。"凝在
政府，避議論，諱其名，又欲後人知，故於《游藝集序》實之。
此凝之意也。予在秀州，其曾孫和惇家藏諸書，皆魯公舊物，
末有印記甚完。《夢溪筆談》。

杜荀鶴　唐風集十卷　陳録作三卷

杜荀鶴，池州人，大順二年進士。善爲詞，句切理。宣州田頵
重之，嘗以牋問。至梁祖，薦爲翰林學士、主客員外，恃勢侮
易搢紳，衆怒，欲殺之而未及。天祐初，病卒。有顧雲《序》。

荀鶴自號九華山人。《讀書志》。

杜荀鶴詩鄙俚近俗,惟宮詞爲唐第一,云:"早被嬋娟誤,欲妝臨鏡慵。承恩不在貌,教妾若爲容。風暖鳥聲碎,日高花影重。年年越溪女,相憶采芙蓉。"故諺云:"杜詩三百首,惟在一聯中。"正謂"風暖"、"日高"之句也。此句歐陽公《詩話》以爲周朴詩。《幕府燕談》。

西江集一百卷

周太子少保王仁裕撰。仁裕喜爲詩,其少也,嘗夢剖其腸胃,以西江水滌之,顧見江中沙石皆爲篆籀之文,由是文思益進,乃集其平生所作詩萬餘首爲百卷,號曰《西江集》。《王仁裕傳》。

西岳集十卷

僧貫休,本蘭溪人。善詩,與齊己齊名。有《西岳集》十卷。《蜀檮杌》。

修文要訣一卷

僞蜀馮鑑撰。雜論爲文體式,評其訛謬,以訓初學云。《讀書志》。

《五代史補考》二十四卷,徐炯撰。炯字章仲,崑山人,徐健庵尚書之子,官直隸巡道。曾與兄樹穀同注庾子山《哀江南賦》,學富才贍,有烏衣子弟之目。因歐《史》止《司天》、《職方》兩考,遂采各書補之,曰五行,曰百官,曰選舉,曰食貨,曰賦役,曰征榷,曰禮樂,曰刑法,曰軍旅,曰藝文,凡十類。歐氏《司天》二卷,《職方》一卷,故以《五行》爲第三,取《會要》及各書補之。采取有識,編纂得法,當與《五代史補注》並傳。歲在柔兆執徐壯月,吳興張鈞衡跋。

補五代史藝文志

〔清〕宋祖駿　撰

陳錦春　整理

底本：清咸丰間《樸學廬叢刻》本

長洲宋祖駿偉度纂

石經

石經舊在務本坊，天祐中，韓建築新城，而石經委棄於野。至朱梁時，劉鄩鎮守長安，從幕吏尹玉羽之請，輦入長安城中，置唐尚書省之西隅。

右本宋黎持《移石經記》。此唐開成石經。

孟蜀廣政十四年，冬十月，詔勒諸經於石。祕書郎張紹文寫《毛詩》、《儀禮》、《禮記》，祕書省校書郎孫朋吉寫《周禮》，①國子博士孫逢吉寫《周易》，校書郎周德政寫《尚書》，簡州平泉令張德昭寫《爾雅》，字皆精謹。

案晁公武《讀書志》所載，有《蜀石經周易》十三卷、《石經尚書》十三卷、《石經毛詩》二十卷、《石經周禮》二十卷、《石經禮記》二十卷、《石經左氏傳》二十卷、②《石經論語》十卷。又《志》載《論語》爲張德鈞書，而范成大《石經本末記》，則以爲《孝經》、《論語》、《爾雅》皆張德釗書。又吳任臣《十國春秋》母昭裔傳，裔仕後蜀，性嗜藏書，嘗按雍都舊本九經，命張德釗書之，刻石成都學宮。晁《志》鈞字疑釗之誤。

雕板九經

天成二年三月，太常丞段永請國子監五經博士各講本經，③以

---

① “孫朋吉”，顧櫰三《補五代史藝文志》作“孫朋古”，當據正。
② “二十卷”，顧櫰三《補五代史藝文志》作“三十卷”，晁公武《郡齋讀書志》作“三十卷”，當據正。
③ “請”，原作“清”，據顧櫰三《補五代史藝文志》改。

重橫經齒冑之義。長興三年二月，中書門下奏請依石經文字刻《九經》印板，敕令國子監集博士生徒，將西京石經本，各以所業本經廣爲鈔寫，仔細校讀，然後僱召能雕字匠人，各部隨帙刻印，廣頒天下。

《馮道傳》：道以諸經舛謬，與同列李愚，委學官田敏等，取西京鄭覃所刊石經，雕爲印板，流布天下。其國子監五經印板，則太常博士李鍔所書也。

長興三年，命太子賓客馬縞等，充詳勘九經官。於諸選人中，召能書者寫付雕匠，每日五紙。

開運元年三月，國子監祭酒田敏，以印本《五經》進。

案《玉海·藝文部》作“田敏以印本《五經字樣》二部進，凡一百三十册”。

乾祐元年五月己酉朔，國子監奏《周禮》、《儀禮》、《穀梁》、《公羊》四經未有印板，欲集學官考校雕造。從之。

廣順三年，尚書左丞田敏以印板《九經》進。

《和凝傳》：凝有集百餘卷，自鏤板行世。

案此爲刻詩文集之始。

蜀毋昭裔貧賤時，嘗假《文選》於交游間，其人有難色，因發憤：異日若貴，當鏤板以貽學士。後仕蜀爲宰相，出私財百萬，刻《九經》及《文選》、《初學記》、《白孔六帖》行世。

案馬端臨《文獻通考·經籍門》以爲刻書始於後唐馮道，而沈存中《筆談》、孔平仲《説苑》、王仲言《揮麈録》、陶岳《五代史補》并同。然考《猗覺寮雜記》云：“雕印字唐以前無之，唐末益州始有墨本。”而《石林燕語》則謂唐柳玭《訓叙》，中和三年在蜀見《字書》雕本，是唐時已有印板矣。至《河汾燕閒録》，又謂隋開皇十二年十二月，敕遺經廢像悉令雕撰，案此自指佛經。王新城尚書引之以爲刻書之所自始。然則雕板書固肇於隋，

行於唐，擴於五代，精於宋。信如胡應麟之説無疑也。郎瑛
《七脩類藁》又謂唐時不過間有一二，至馮道雕印五經，由是
典籍皆爲板本。當五代亂離之際，而墳典流布，嘉惠後學，天
之不絶斯文，信矣夫！

易軌　卷　蒲虔軌撰。

易題十卷　張道古撰。

周易甘棠正義三十卷　任貞撰。

青城山人著揲歌一卷　不著撰人姓名。

易龍圖　陳摶撰。

易論三十三篇　王昭素撰。

尚書廣疏十八卷　馮繼先撰。

尚書小疏十三卷　同上。

古今尚書釋文一卷　郭忠恕撰。

春秋折衷三十卷　陳岳撰。

春秋名號歸一圖一卷　馮繼先撰。

春秋名字異同録五卷　同上。

春秋王霸世紀十卷　李琪撰。案焦竑《國史經籍志》作三卷。

左傳杜註駁正一卷　倪從進撰。

**孝經雌圖一卷　皇靈孝經一卷　別序孝經一卷　越王孝經新
　義一卷**　以上并顯德中日本僧奝然所進。案《文昌雜録》，《別序》者，記孔子所生
及弟子從學之事。《新義》者，以越王爲問目，釋《疏》文之義。《皇靈》者，止説延年避
災之事及符文，乃道書也。《雌圖》者，止説日之環暈，星之彗字，亦非奇書。　又案
相傳日本係徐福之後，福爲始皇求安期、羨門，挾童男女入海，并載中國書籍。聞《子
夏易傳》真本尚在。近鮑氏廷博由海舶購得孔安國《孝經註》，前有太宰純《序》，刊入
《知不足齋叢書》内。又有山井鼎《七經孟子考》校讐精審，阮芸臺所著《十三經校刻
記》亦時採用其説。

爾雅音略三卷　母昭裔撰。

經典釋文十卷　張昭遠撰。

九經文字一卷　同上。
國子監校刻五經一百三十卷
右經部,共三百零四卷。

天成元年九月,命郎中庾傳美充三州搜訪圖籍使。傳美,王衍之舊僚。上言成都具有本朝《實錄》。及傳美使回,所得纔《九朝實錄》,及他殘缺雜書而已。

長興二年五月,知制誥崔梲上言,[①]請搜訪宣宗以來野史,以備編脩。從之。

三年十一月,史館奏:昨爲大中以來,迄於天祐,四朝實錄尚未纂脩,尋具奏聞,謹行購募。敕命雖頒於數月,圖書未貢於一編。蓋以北土州城,久罹兵火,遂成絕滅,難以訪求。竊恐歲月既深,耳目不接,長爲闕典,過在攸司。伏念江左列藩,湖南奧壤,至於閩越,方屬勳賢,戈鋋日擾於中原,屏翰悉全於外府,固已富有羣書。伏乞詔旨,委各於本道采訪宣宗[②]、懿宗、僖宗、昭宗以來逐朝日曆、銀臺事宜、內外制詞、百司沿革籍簿,不限卷數,據有者鈔錄進獻。若民間收得,或隱士撰成,即令各列姓名,請議爵賞。

天福四年十一月,史官奏請令宰臣一人撰錄《時政記》,逐時以備撰述。從之。

六年,監脩國史趙瑩奏:自李朝喪亂,迨五十年,四海沸騰,兩都淪覆,今之書府,百無一二。臣等近奉綸言,俾令撰述。褒貶或從於新意,纂脩須案於舊章。既闕簡編,先虞陋略。今據史館

①　"二",原作"三","梲"原作"稅",據《舊五代史·明宗紀》、顧櫰三《補五代史藝文志》改。
②　"各",原作"名",據《五代會要》卷十八、顧櫰三《補五代史藝文志》改。

所闕《唐書實錄》，請下敕命購求。況咸通中宰臣韋保衡與蔣
伸、皇甫煥，撰武宗、宣宗兩朝《實錄》，皆遇多事，或值播遷。雖
聞撰述，未見流傳。其韋保衡、裴贊合有子孫現居職任，或門生
故吏曾記纂脩，聞此討論，諒多欣愜。請下三京諸道，及內外臣
僚，凡有將此數朝《實錄》詣闕進納，量其文武才能，不拘資地，
除授一官。如卷帙不足，據數進納，亦請不次獎酬，以勸來者。
自會昌至天祐，垂六十年，其初李德裕平上黨，著武宗伐叛之
書，其後康承訓定徐方，有武甯本末之傳。如此事蹟，記述頗
多，請下中外臣寮及名儒宿學，有於此六十年內撰述得傳記，及
中書銀臺、史館日曆、制敕書等，不限年月多少，并許詣闕進納。
如年月稍多，紀錄詳備，特行簡拔，不限資叙。顯德三年十二
月，詔曰：史館所少書籍，宜令本館諸處求訪補填。如有收得書
籍之家，并許進書人據部帙多少等第，各與恩澤。如是卷帙少
者，量與金帛。如館內已有之書，不在進納之限，仍委中書門
下，於朝官內選差三十人，據見在書籍，各有真本校勘，署校官
姓名，逐月具功課申報。

舊唐書二百卷　劉昫撰。

舊五代史一百五十卷　薛居正撰。　案薛《史》雖成於宋，然居正當顯德中已爲
　吏部尚書，紀傳所載，多屬親見，故附入五代。

五代通錄六十五卷　范質撰。

五代紀七十五卷　孫沖撰。

五朝春秋二十五卷　王軫撰。

史系二十卷　賈緯撰。

備史六卷　同上。

唐年補錄六十五卷　同上。案《五代會要》，起居賈緯奏曰：“伏以唐高祖至代宗
　已有紀傳，僖宗亦存《實錄》，武宗至濟陰廢帝凡六代，惟存《武宗實錄》一卷，餘皆缺
　略。臣今搜訪遺聞，及耆老傳說，編成六十五卷，目爲《唐朝補遺錄》，以備將來史官

撰述。"

梁列傳十五卷　張昭撰。

後唐列傳三十卷　同上。

梁太祖實錄二十卷　張袞、郗象等撰。

末帝實錄十卷　張昭撰。唐懿祖紀年錄一卷　獻祖紀年錄一卷

太祖紀年錄二十卷　莊宗實錄三十卷　并張昭遠撰。[1]天成三年十

二月,左補闕張昭遠狀:"嘗讀國書,伏見懿皇帝自元和之初,獻祖文皇帝於太和之
初,[2]立功王室,陳力國朝。武皇帝自咸通後來勤王,戮力翦平多難,頻立大功,三換
節旄,再安京邑。莊宗皇帝終平大敵,奄有中原。儵闕編脩,遂成湮墜。請與當館脩
撰,參序條綱,撰《太祖莊宗實錄》。"四年七月,監脩趙鳳奏:"伏以凡關纂述,務合品
題。承乾御宇之君,行事方云實錄。追尊册號之帝,約文祇爲紀年。請自莊宗一朝
名爲《實錄》,其太祖以上,并目爲《紀年》。"從之。

唐明宗實錄三十卷　姚顗、張昭遠、李祥、吳永範、楊昭檢等撰。

唐愍帝實錄三卷　唐廢帝實錄十七卷　并張昭遠撰。順德四年正月,兵

部尚書張昭上言:"奉詔編脩《太祖實錄》及梁唐二末主《實錄》,竊以梁末帝之上,有
郢王友珪篡弒居位,未有紀錄,請依《宋書》劉昭例,[3]書爲'元凶友珪。'其末主請依
古義,書曰'後梁實錄'。又唐末帝之前有應順帝,在位四月,出奔於衞,亦未編紀,請
脩《閔帝實錄》。其《清泰帝實錄》請爲《廢帝實錄》。"從之。

晉高祖實錄三十卷　少帝實錄二十卷　并竇貞固、賈緯、竇儼、王伸等撰。

漢高祖實錄三十卷[4]　蘇逢吉等撰。

漢隱帝實錄十五卷　并張昭遠、尹拙、劉溫叟等撰。

周太祖實錄三十卷　同上。薛《史》張昭上言:"伏以撰《漢書》者先爲項籍,編《蜀

紀》者首序劉璋,貴神器之傳授有因,曆數之推遷得序。伏緣漢隱帝君臨在太祖之
前,其歷試之績并在隱帝朝,請先脩《漢隱帝實錄》,以全太祖之事。"

周世宗實錄四十卷　王溥等撰。顯德日曆一卷

---

①　顧櫰三《補五代史藝文志》作"張昭遠等撰",是。

②　"太和之初",顧櫰三《補五代史藝文志》作"太和之際",於義較勝。

③　"昭",顧櫰三《補五代史藝文志》作"邵"。

④　"三十卷",顧櫰三《補五代史藝文志》作"十卷"。

右史部，共九百二十七卷。

楊吳氏本紀六卷　陳濟撰。

揖讓録七卷　同上。

吳録二十卷　徐鉉、高遠、喬舜、潘祐等撰。

泚上英雄小録三卷　信都鎬撰。

吳書實録三卷　記楊行密事，不著作者。

邗溝要略九卷　南唐烈祖實録二十卷　元宗實録十卷　并高遠撰。

吳將佐録一卷

高帝過江事實一卷

江南餘載二卷　不著作者。

江南録十卷　徐鉉、湯悦撰。

江南野史一卷　鄭仁實撰。[①]

南唐開基志十卷　王顔撰。

帝唐書十五卷　許載撰。

吳唐拾遺録十卷　同上。

金陵事實三卷　錢惟演撰。

蜀書二十卷　後蜀高祖實録三十卷　後主實録四十卷　蜀祖經緯畧一百卷　前蜀書四十卷　并李昊撰。

續錦里耆舊傳十卷　張緒撰。

前蜀王氏記事二卷　毛文錫撰。

後蜀孟氏記事三卷　董淳撰。

金行啓運録二十卷　庾傳昌撰。

---

　①　"鄭仁寶"，據顧櫰三《補五代史藝文志》當作"鄭龍袞"。按，此處抄録顧櫰三之書而漏掉一行，故導致人名錯訛。

鑑戒録三卷　廣政雜録三卷 并何光遠撰。

蜀廣政雜録 蒲仁裕撰。

吳越備史十五卷 錢儼託名范坰、林禹撰。

備史遺事五卷 錢儼撰。

乾寧會稽録 記董昌之叛，不著作者。

**錢俶貢奉録一卷　家王遺事二卷　錢氏慶系圖二卷　奉藩書
十卷** 并錢惟演撰。

戊申英政録一卷　忠懿王勳業志二卷 并錢儼撰。

湖湘事迹一卷

三楚新録一卷①

渚宮故事十卷

湖南故事十三卷

高氏世家十卷 以上并不著作者。

三楚新録三卷 周羽冲撰。

楚録五卷 盧臧撰。

渤海行年紀十卷 曾顏撰。

湖湘馬氏故事二十卷 曹衍撰。

荆湘近事十卷 陶岳撰。

閩中實録十卷 蔣文擇撰。②

王氏解運圖三卷 林仁志撰。

閩王審知傳一卷 陳致雍撰。

閩王事迹一卷 不著作者。

晉陽聞見録一卷 王保衡撰。

劉氏興亡録一卷 胡賓撰。

---

① "一卷"，顧櫰三《補五代史藝文志》作"三卷"，與今通行本合。

② "擇"，顧櫰三《補五代史藝文志》作"懌"，與《崇文總目》、《宋史・藝文志》合。

廣王事迹一卷

五國故事一卷

十國載記三卷　并不著作者。

太原事迹雜記十三卷　李璋撰。

許國公勤王録　李巨川撰。記歧王李茂貞事。

太康平吳録二卷　張昭撰。

右霸史類，共五百八十一卷。

汴水滔天録　王振撰。

朱梁興創遺編二十卷　敬翔撰。

莊宗召禍記一卷　黃彬撰。

幽懿録　叙晉出帝陷虜事，不著作者。

開運陷虜事迹　不著作者。

晉朝陷蕃記一卷　桑維翰傳一卷　并范質撰。

陷遼記一卷　胡嶠撰。

新野史十卷　題“顯德元年，終南山不名子撰。”

英雄佐命録一卷①

世宗征淮録一卷

濠州干戈録一卷　并不著作者。

後史補三卷　高若拙撰。

大唐補記三卷　南唐程匡撰。

大唐實録撰聖記一百二十卷　陳岳撰。

續劉軻帝王照略三卷　蜀馮鑑撰。

正史雜編十卷　五運録十三卷　并蜀楊九齡。

歷代年譜一卷　曹圭撰。

---

① “英”，原誤作“芙”，據顧櫰三《補五代史藝文志》改正。

五代史初要十卷　歐陽顥撰。

續皇王寶運録　韋昭度撰。

唐春秋三十卷　郭昭慶撰。

史藁雜著一百卷　高遠撰。

續通曆十卷　孫光憲撰。

運曆圖三卷　龔穎撰。

三朝見聞録一卷　不著作者。

中朝故事二卷　尉遲偓撰。

帝王年代州郡長曆二卷　杜光庭撰。

右雜史類，共三百六十卷。

李龔吉　表狀三卷　案李龔吉，武皇記室，以書檄擅名一時。

表奏集十卷①

李巨川　啓狀二卷

馬郁　表狀一卷　案郁，劉仁恭記室，有盛名。

黃台　江西表狀二卷

王紹顏　軍書十卷

毛文晏　雜制詔集二十一卷　咸通後麻制三卷

朱梁宣底八卷　制誥二卷

後唐麻藁三卷

長興制藁四卷

江南制集七卷

彭霽　啓狀二卷

羅貫　啓狀二卷

梁震　表狀一卷

---

① "表"上，顧櫰三《補五代史藝文志》有"敬翔"二字。

李宏皋　表狀一卷

韋莊　箋表一卷　諫草二卷

羅隱　湘南應用集三卷　吳越掌記集三卷　啓事集一卷

林鼎　吳江應用集二十卷

孫光憲　筆備十卷

李昊　樞機集二十卷

商文圭　從軍藁二十卷

張易　諫奏集七卷

王昭遠　禁垣備對十卷

杜光庭　歷代忠諫書五卷　諫書八十卷

趙元琪輯　唐諫諍論十卷　唐諫諍集十卷

右表狀類，共二百八十四卷。

梁令三十卷

梁式二十卷

梁格十卷

梁循資格一卷　郊殷象撰。

後唐格令三十二卷

後唐統類目一卷

後唐傍通開元格一卷

天成長定格一卷

天成雜敕三卷

新編制敕三十卷　清泰三年，御史中丞盧損等，請擇清泰元年以前十二年制敕，①

　　可悠久施行者，三百九十四道，編爲三十卷，詔付御史臺頒行。

天福編敕三十一卷

---

　①　"十二年"，顧櫰三《補五代史藝文志》作"十一年"，與《五代會要》卷九所載合。

律準一卷 王朴撰。**顯德刑統二十卷** 張昭撰。**疑獄集三卷** 和凝撰。
刑統目一卷
刑律總要十二卷
刑律統類一卷 姜虔嗣撰。
楊吴删定格五十卷
江南删定條五十卷①
昇元格令條八十卷
蜀雜制三卷
右格令類,共三百七十卷。

朱梁南郊儀注一卷　梁祭地祇陰陽儀注三卷　五禮儀鑑曲臺奏議二十卷　五禮鏡儀六卷　寢祼儀一卷　州縣祭祼儀一卷 并陳致雍撰。
州郡鄉飲酒注儀一卷 長興三年,太常草定。
新定書儀二卷 天成二年,劉岳奉詔撰。
玉堂儀範三十卷 李琪撰。
郊望論一卷 周彬撰。
坤儀令一卷　大周通禮二百卷 并竇儼撰。
唐會要一百卷 案王溥之《唐會要》,《宋史》誤作《續唐會要》,今改正。**五代會要三十卷** 并王溥撰。
吴南郊圖記一卷　蜀禮部文塲内舉人儀則一卷　黄籙齋壇真文玉訣議一卷　醮章奏議十八卷　靈寶明真齋懺燈儀一卷　太上河圖内元經禳災九壇醮儀一卷　靈寶自然行道儀一卷 并杜光庭撰。
右儀注類,共四百二十二卷。

---

① "五十",顧櫰三《補五代史藝文志》作"三十",與《崇文總目》、《通志·藝文略》合。

大周正樂譜八十八卷　<small>竇儼撰。</small>

周優人曲詞二卷　歷代樂歌六卷　<small>并趙上交撰。</small>

樂賦一卷　<small>王朴撰。</small>

蜀雅樂三十卷

聲韻譜一卷　<small>句中正撰。</small>

大唐正聲琴譜十卷

補新徵音一卷　<small>陳用拙撰。</small>

國風總類五十卷　<small>王仁裕撰。</small>

霓裳譜一卷　<small>李後主周后撰。</small>

豔詞一卷　<small>蜀後主王衍撰。</small>

花間集十卷　<small>裴說集唐人詞。案孫氏《書目》題作"蜀人趙崇祚編。"</small>

宮詞一卷　<small>花蕊夫人撰。</small>

南唐二主詞一卷

陽春詞一卷　<small>馮延巳撰。</small>

右聲樂類，共二百四卷。

說文解字繫傳四十卷　說文解字韻譜十卷　通輯五音一千卷

<small>并徐鍇撰。據《宋史·藝文志》、吳任臣《十國春秋》均有徐楚金《說文解字通釋》四十卷。案《通釋》即《繫傳》內之《通釋》三十卷，《部叙》二卷、《祛妄》、《類聚》、《錯綜》、《疑義》、《系述》各一卷，總名之《繫傳》。兹不重列。</small>

補說文解字三十卷　<small>僧曇域撰。</small>

切韻搜玉二卷　<small>劉熙古撰。</small>

義訓十卷　<small>竇儼撰。</small>

佩觿三卷　<small>郭忠恕撰。</small>

汗簡集二卷　辨字圖四卷　歸字圖一卷　正字賦一卷　<small>并同上。</small>

　林氏字説二十篇　偏旁小説一卷　<small>林罕撰。</small>

書林韻會一百卷　<small>蜀孟昶撰。</small>

續古闕文一卷　<small>孫晟撰。</small>

右小學類,共一千二百二十五卷。

同光乙酉長曆十卷　晉天福調元曆二十三卷　調元曆經二卷　調元曆立成十二卷　調元曆草八卷 <small>并馬重績撰。</small>

周廣順明元曆一卷 <small>王處訥撰。</small>

顯德欽天曆十五卷　欽天曆經二卷　欽天曆立成六卷　欽天曆草三卷　顯德三年七政細行曆一卷 <small>并王朴撰。</small>

小曆二卷 <small>唐曹士蔿撰。五代時,馬重績本其法爲《調元曆》。</small>

宣明曆二卷

宣明曆立成八卷

宣明曆略要一卷

崇元曆經三卷

崇元曆立成七卷 <small>案梁初猶用《宣明》、《崇元》二曆。至馬重績造新曆,晉高祖命司天少監趙仁錡、張文皓、天文參謀趙延义、杜昇、杜崇龜等,取《宣明》、《調元》二曆,與新曆參考得失,後頒行新曆,而二曆廢不行。</small>

蜀武成永昌曆三卷

南唐保大齊政曆三卷

胡秀林　正象曆經一卷

陳承勳　中正曆經一卷　中正曆立成九卷

胡萬頃　太乙時紀陰陽二遜曆立成二卷①

右曆算類,共一百二十五卷。

趙瑩　君臣康教論二十五卷　興政論一卷

韓熙載　格言五卷　格言後述三卷　皇極要覽十卷

錢俶　政本十卷

---

① "遜",《通志·藝文略》、顧懷三《補五代史藝文志》作"遜",當據正。

徐鉉　質論一卷

黃損　三要五卷

丘光庭　康教論一卷　規論一卷①　兼明書十二卷

徐融　帝王指要三卷

宋齊丘　理訓十卷

李琪　皇王大政論一卷

劉鄂　法語二十卷

黃訥　家誡一卷

郭昭慶　治書五十卷　經國治民論二卷

王敏　太平書十卷

劉子通論五卷

劉希濟　理源二卷②　治書十卷

右儒家類，共一百八十八卷。

雕板道德經二卷　和凝撰新序，天福中頒行。

三家老子音義一卷　徐鉉注。

道德經疏義節解二卷　喬諷撰。

道德經義疏十卷　僧文儻注。

道德經廣聖義疏三十卷　杜光庭注。

注老君説十卷③　緱嶺會真傳一卷　歷代帝王崇道記一卷　道
　德傳授年載記一卷　玄門樞要一卷　道門樞要一卷　道教
　神驗記二十卷　王氏神仙傳一卷　聖祖歷代瑞見圖三卷
　洞天福地記一卷　東瀛子一卷　墉城集仙録十卷　大質論

---

① “規論”，《宋史·藝文志》、顧櫰三《補五代史藝文志》作“規書”，當據正。

② “劉希濟”，顧櫰三《補五代史藝文志》作“牛希濟”，與《新唐書·藝文志》合，當據正。

③ “注”，顧櫰三《補五代史藝文志》作“汪”。

一卷　同上。　補注莊子十卷　張昭撰。

玉管照神局二卷　天華經三卷　宋齊丘偽託。

太玄金闕三洞八景陰陽仙班朝會圖五卷　孫光憲撰。

賓仙傳三卷　何光遠撰。

問政先生聶君傳一卷　徐鍇撰。

神和子傳一卷　指元傳一卷①　赤松子八誡錄一卷②　九室指
　元一卷　并陳希夷撰。

怡神論一卷　申天師撰。

參同契分章通真義三卷　明鏡圖一卷　彭曉撰。

心賦注一卷　僧延壽撰。

抱一子注一卷　同上。

自然經五卷　尹玉羽撰。

洞微志一百三十卷　錢易撰。

太玄經注三卷　張易撰。

極衍二十四卷　周傑撰。

湘湖神仙顯異傳三卷　曹衍撰。

譚子化書六卷　譚峭撰。

演玄十卷　許洞撰。

右道家類，共三百二十四卷。③

異僧記一卷

---

①　“指元傳”，顧櫰三《補五代史藝文志》作“指元論”。按，《通志·藝文略》作“指
元篇”。

②　“誡”，原誤作“誠”，據《通志·藝文略》、顧櫰三《補五代史藝文志》改。

③　“三百二十四卷”，顧櫰三《補五代史藝文志》同。案此上道家類共三百十三卷，
顧氏本在“墉城集仙錄十卷”與“大質論一卷”間有“混元圖十卷三教論一卷”，正合三百
二十四卷之數，當據補。

鷲嶺聖賢録一百卷　僧贊寧撰。

要言二卷　通論十卷　同上。

華嚴經八十二卷　閩支提山。

看經贊一卷　法喜集二卷　佛國記十卷　馬裔孫撰。

舍利塔記一卷　高越撰。

宗鏡録一百卷　感通録一卷　僧延壽撰。

高僧傳三十卷

續寶林傳四卷　閩僧寶聞撰。

石刻金剛經一卷　蜀刻。

金字佛書一卷　司徒詡書。

金字心經一卷　李後主妃黃保儀施。

右釋氏類,共三百四十七卷。

閩外春秋十卷　李筌撰。

陰符經注一卷　同上。

人事軍律一卷　符彥卿撰。

五行陳圖一卷　同上。

制旨兵法十卷　張昭撰。

六壬軍法鑒式三卷　胡萬頃撰。

歲時廣記一百二十卷　徐鍇撰。

蠶書三卷　孫光憲撰。

茶譜三卷　毛文錫撰。

物類相感志一卷　僧贊寧撰。

四時纂要十卷　韓鄂撰。

霧居子五卷　不著作者。

續事始五卷　馮鑑撰。中華古今注三卷　馬縞撰。

右雜家類,共一百六十六卷。

要術一卷 陳元京撰。案元京家世爲醫,長興中,集平生所驗方七十件,修合藥法百件,號曰《要術》,刻石置太原府之左。

意醫紀歷一卷 吳羣撰。

廣政集靈寶方一百卷 羅普宣撰。

彦保方三卷 周廷撰。①

保童方一卷 同上。

增注蜀本草圖經二十卷 韓保昇撰。

脈訣二册。 題"高陽生撰,劉元賓和歌",見孫氏《書目》。

棊經一卷 朱遵度撰。

人倫風鑑一卷② 陳希夷撰。

墨經一卷 李廷珪撰。

墨圖一卷 同上。

棊經圖義例一卷 徐鉉撰。

棊勢三卷 同上。

繫蒙小葉子格一卷 李後主周后撰。

偏金葉子格一卷 小葉子例一卷 同上。

梁朝畫目三卷 胡嶠撰。

繪禽圖經一卷 黃居寶撰。

古君臣象三卷 張玟撰。

筆訣三卷 姜道隱撰。

射法一卷 黃損撰。

---

① "彦保方三卷周廷撰",顧櫰三《補五代史藝文志》作"産保方三卷周挺撰"。宋氏抄自顧氏之書,而誤"産"爲"彦"、"挺"爲"廷"。然顧書亦誤。考《産寶》二卷,唐咎殷撰於宣宗初,而周頲序論於昭宗乾寧四年,故顧氏所題書名、著者均誤,且係唐人著作,不應著録於五代藝文志。

② "倫",原誤作"論",據《通志·藝文略》、顧櫰三《補五代史藝文志》改。

射書五卷　徐鉉撰。

右技術類,共一百五十卷。

梁朝天下郡縣目一卷

新定十道圖三十卷

重脩河隄圖二卷　長興四年,濮州進。沿河地名,歷歷可數。

均田圖一卷　唐元積撰。顯德中,頒行天下。

水利編三卷　王章撰。

契丹地圖一卷　長興三年,契丹東丹王突欲進。

于闐國程録一卷　高居誨撰。

海外使程廣記三卷　南唐章僚使高麗所記。

南詔録三卷　徐雲虔撰。

燉煌新録一卷

蜀程記一卷　韋莊撰。

峽程記一卷　同上。

入洛記一卷　王仁裕撰。

南行記一卷　同上。

奉使兩浙雜記一卷　沈立撰。

大梁夷門記一卷　王權撰。

弔梁郊賦一卷　張策撰。

汴州記一卷　丘光庭撰。

海潮論一卷　海潮記一卷　同上。

吳越石壁記一卷　錢鏐撰。

九華山記二卷　僧應物撰。

九華山舊録一卷　同上。

武夷山記　杜光庭撰。

續成都記一卷　青城山記一卷　同上。

禹別九州賦三卷　趙鄰幾撰。

方輿記一百三十卷　徐鍇撰。

地理指掌圖一卷　稅安禮撰。

地理手鏡十卷　劉隗撰。

右輿地類,共二百七卷。

開天遺事一卷　王仁裕撰。

玉堂閒話三卷　金華子雜編四卷①　見聞録三卷　唐末見聞録
　　八卷　入洛私書一卷　同上。

金鑾密記一卷　韓偓撰。

廣陵妖亂志一卷　鄭廷晦撰。

唐末汎聞録一卷　閻自若撰。

唐摭言十五卷　王定保撰。

廣摭言十五卷　何晦撰。

金華子新編三卷　劉崇遠撰。

北夢瑣言三十卷　孫光憲撰。

貽子録一卷　同上。

無名氏　耳目記一卷

唐新纂三卷　石文德撰。

妖怪録五卷　皮光業撰。

皮氏見聞録十三卷　啓顏録六卷　三餘外志三卷　同上。

國朝舊事四十卷　王溥撰。

集説二卷　同上。

北司治亂記十卷　嚴遵美撰。

---

①　"金華子雜編四卷",乃南唐劉崇遠撰,見《四庫全書》,作三卷,不應夾雜於王仁
裕諸書之列,當刪除,因下文另有著録"金華子新編"三卷。

顯德二年小録二卷

史館故事三卷

忠烈圖一卷　徐溫客纂輯。

孝義圖一卷　同上。

江淮異人録一卷　吳淑撰。

李後主　雜説二卷

稽神録六卷　徐鉉撰。

清異録六卷　陶穀撰。

賓朋宴語一卷　丘旭撰。

雜説一卷　盧言撰。

五代登科記一卷　徐鍇撰。

登科記五卷　不著作者。

符彥卿家譜一卷

釣磯立談二卷　史虛白撰。

紀聞譚三卷　潘遺撰。

野人閑話五卷　景煥撰。

葆光録三卷　陳纂撰。

兩同書二卷　羅隱撰。南楚新聞三卷　尉遲樞撰。

虯髯客傳一卷　杜光庭撰。

録異記十卷　同上。

靈怪實録三卷　曹衍撰。

備忘小抄十卷　文谷撰。

警戒録五卷　周挺撰。

報應録三卷　王轂撰。

資談六十卷 范贊時撰。[1]

宋齊丘文傳十三卷

陳金鳳傳一卷

玉泉子見聞真録五卷[2]

入洛私書十卷 江文秉撰。

聱書十卷 沈顔撰。

解聱十五卷 同上。

鯫子一卷 趙鄰幾撰。

羣居解頤三卷 高擇撰。

三感志三卷 楊九齡撰。

滑稽集一卷 錢易撰。

南部新書十卷 同上。**筆述二十卷** 王朴撰。

竹譜三卷 錢昱撰。

筍譜十卷 僧贊寧撰。

右小説類,共四百一十六卷。

羣書麗藻一千卷　目五十卷 朱遵度撰。

鴻漸學記一千卷 同上。

古今語要十二卷 喬舜封撰。

桂香詩一卷 同上。

古今國典一百卷 徐鍇撰。

古今書録四十卷 毋昭裔撰。

蜀王建書目一卷

---

① "范贊時",原作"范質然",據《通志·藝文略》、《十國春秋》卷八十八改。按,宋氏承顧櫰三"范贊然"之誤,而又誤"贊"爲"質"。

② "玉",原作"王",據《新唐書·藝文志》、顧櫰三《補五代史藝文志》改。

十九代史目二卷　<small>舒雅撰。</small>

經史目録七卷　<small>楊九齡撰。</small>

名苑五十卷　桂堂編事二十卷　要録十卷　<small>同上。</small>

歷代鴻名録八卷　<small>李遠撰。</small>

同姓名録一卷　<small>丘光庭撰。</small>

四庫韻對十八卷　<small>陳鄂撰。</small>

十經韻對二十卷　<small>同上。</small>

詩格一卷　<small>鄭谷、僧齊己、黃損同輯。</small>

桂香集一卷　<small>黃損輯。</small>

蜀國文英八卷　<small>劉贊輯。</small>

泉山秀句三十卷　<small>黃滔撰。</small>

雅道機要八卷　<small>徐寅撰。</small>

賦格二卷　<small>和凝撰。</small>

賦苑二百卷　目一卷　<small>徐鍇撰。</small>

廣類賦二十五卷　靈仙賦二卷　甲賦五卷　賦選五卷　<small>同上。①</small>

唐吳英秀七十二卷②　<small>江文蔚輯。</small>

桂香賦選三十卷　<small>同上。</small>

脩文要訣二卷　<small>馮鑑撰。</small>

右總集類，共二千七百三十二卷。

羅紹威　政餘詩集一卷　偷江東集一卷

李後主集十卷　集略七卷　詩一卷

---

① 《廣煩賦》二十五卷、《靈仙賦》二卷、《甲賦》三卷，皆不知作者。《賦選》五卷，乃李魯編。顧懷三《補五代史藝文志》誤讀《宋史·藝文志》，并列於徐鍇名下，非是。宋氏則又沿承顧氏之誤。

② “唐吳英秀”，原誤作“唐吳秀英”，據顧懷三《補五代史藝文志》和《宋史·藝文志》乙正。又據《崇文總目》和《通志·藝文略》，“秀”當作“雋”。

杜荀鶴　唐風集三卷

敬翔集十卷

李琪　金門集十卷　應用集三卷

李愚　白沙集十卷　五書一卷

和凝　演綸、游藝、孝弟、紅藥、籯金、香奩六集，共一百卷

賈緯　草堂集二十五卷　續草堂集十五卷

王朴　翰苑集十卷

李瀚　丁年集十卷

楊凝式詩一卷

李濤　應歷集十卷

盧延讓詩一卷

韋説詩一卷

封鼇　翰林藁八卷

崔遵集二卷

符載集二卷

扈蒙　鼇山集二十卷

李崧　錦囊集三卷　真珠集一卷

高輦　崑玉集一卷

馮道集六卷　河間集五卷　詩一卷

王仁裕　紫泥集十卷　紫泥後集四十卷　詩集十卷　紫閣集
　　十卷　乘輅集十卷　西江集十卷

扈載集十卷

符蒙集一卷

盧士衡集一卷　天成二年進士。

熊皦　屠龍集一卷　清泰二年進士。

桑維翰賦二卷

張昭　嘉善集五十卷

王溥集二十卷

趙上交集二十卷

薛居正集三十卷

竇夢徵　東堂集三十卷

程遜集十卷

李爲光　斐然集五卷

李山甫文集十卷　　羅昭威判官。

薛廷珪　鳳閣集十卷　克家志五卷　　案廷珪父逢，著“鑿混沌”、“真珠簾”
等賦，大爲時人所賞。廷珪亦著賦數十篇，同爲一集，故曰《克家志》。

韓偓詩一卷　入翰林後詩一卷　香奩集一卷　　案《香奩集》係和凝嫁
名。別集三卷

黃滔集十五卷　莆陽御史集二卷　編略十卷

馮涓　懷秦賦一卷　文集十三卷　龍唫集一卷　長樂集一卷
　　南冠集一卷

韋莊集二十卷　浣華集五卷　又元集五卷

羅隱　淮海寓言七言甲乙集三卷　汝江集三卷　歌詩十四卷
　　讒本三卷　讒書五卷

徐融集五卷①

陳陶文集十卷　詩一卷

江文蔚集三卷

徐凝詩一卷

錢宏偓詩十卷

錢儼前集二十卷②　　案儼仍有《後集》五十卷，係入宋後撰，不錄。

錢昆文集十卷

---

①　“五卷”，《宋史·藝文志》、顧櫰三《補五代史藝文志》作“一卷”。

②　“二十卷”，《宋史》卷四百八十本傳、顧櫰三《補五代史藝文志》作“五十卷”，當
據正。

錢惟濬文集二十卷

錢惟治文集十卷

沈崧文集二十卷

毛文晏　西園集十卷①　昌城寓言集十五卷②　東壁寓言三卷③

吳越石壁集二卷

王超　洋源集二卷④

庾傳昌　玉堂集二十卷　青宮載筆記二卷⑤

李珣　瓊瑤集一卷

孟賓于　金鼇集一卷

牛嶠集三十卷　歌詩三卷

吳仁璧詩一卷

劉昌言文集三十卷

徐寅　溫陵集十卷　探龍集一卷　釣磯集三卷　書二十卷
　賦五卷　別集一卷

鄭良士　白巖文集詩集十卷　中壘集十卷

邵拙文集三百卷　廬嶽集一卷

韋穀　集唐人才調集十卷

田霖　四六一卷

殷文圭集一卷　冥搜集二十卷　登龍集十五卷

江爲集一卷

---

① "西園集",《宋史·藝文志》、明胡震亨《唐音癸籤》卷三十作"西閣集"。

② "昌城寓言集十五卷",《崇文總目》、《通志·藝文略》作"昌城後寓集五卷",《宋史·藝文志》、《唐音癸籤》卷三十作"昌城後寓集十五卷"。

③ "東壁寓言",《通志·藝文略》、《宋史·藝文志》作"東壁出言"。

④ "超"原作"保",據《崇文總目》、《通志·藝文略》、《宋史·藝文志》改。《宋史·藝文志》作"十卷"。

⑤ "宮",原誤作"言",據顧櫰三《補五代史藝文志》、《蜀檮杌》卷上、《十國春秋》卷四十四改正。

文丙集一卷

劉乙集一卷

伍喬集一卷

裴説集一卷

劉昭禹集一卷

王轂集一卷

孫晟集五卷

沈文昌集二十卷

王超　鳳鳴集三卷

崔拙集二卷

丘光業集一卷

孫光憲　荆臺集四十卷　紀遇詩十卷　鞏湖編玩三卷　橘齋
　　集二卷

楊懷玉　忘筌集三卷

王倓後集十卷

張正　西掖集十三卷

喬諷集十五卷

李淇茂集十卷

勾令言　元舟集十二卷

商文圭　鏤冰集二十卷①　筆耕詞二十卷

游恭　東里集三卷　廣東里集二十卷　短兵集三卷

朱滂　昌吳啓霸集三十卷

沈松　錢金集八卷

---

① 　“集”,《宋史·藝文志》作“録”。

郭昭慶　芸閣集十卷①

李氏　金臺鳳藻集五十卷

沈顔　陵陽集五卷

程柔　安居雜著十卷

宋齊丘　祀元集三卷

孟拱辰　鳳苑集三卷

湯筠　戎機集五卷

喬舜　擬謡十卷

譚藏用詩一卷

廖光圖詩集二卷

孫魴詩一卷

侯圭賦五卷

陳搏　釣潭集二卷

丘旭詩一卷　賦一卷

譚用之詩一卷

徐鍇集十五卷

徐鉉集三十二卷

湯悦集三卷

潘祐　滎陽集二十卷②

李建勳集二十卷　詩一卷

高越賦一卷

韓熙載　儗議集十五卷　定居集二卷

劉洞詩一卷

---

①　"芸"原作"雲"，據《崇文總目》、《通志・藝文略》、《宋史・藝文志》、顧櫰三《補五代史藝文志》改。

②　"滎"，原誤作"榮"，據顧櫰三《補五代史藝文志》、《宋史・藝文志》改正。

毛炳詩集一卷

顏詡詩集一卷

沈彬詩集二卷

張蠙詩一卷

李中　碧雲集二卷

黃璞集五卷

章九齡　潼江集二十卷

李堯夫　梓潼集二十卷

廖融詩集四卷

吳蛻　一字至七字詩二卷

李躍　嵐齋集二十五卷

張安石　涪江集一卷

李美夷　江南集十卷

沈光集五卷

陳黯集三卷

鄭氏貽孫集四卷

養素先生遺榮集三卷

雲南趙和　雜詩牋一卷

趙宏詩集一卷

廖偃詩一卷

廖凝詩一卷

王德輿詩一卷

張爲詩一卷　唐詩主客圖一卷

崔道融　申唐詩三卷

陳光詩一卷

韋藹詩一卷

羅浩源詩一卷

薛瑩　洞庭詩集一卷

劉威詩一卷

陳用拙詩集八卷

鄭雲叟　嶷峰集二卷

王智興①　偷江東集一卷

劉吉　釣鼇集一卷　鹿園集一卷

徐仲雅集一百卷

田吉　暌叟集二卷

唐求　味江山人詩一卷

左偃集一卷

狎鷗集一卷　畫錦集　宏詞前後集二十卷

李侯　閣中集第九一卷

僧曉微　玉壘集一卷

僧貫休　寶月集一卷　西嶽集四十卷

僧贊寧　内典集一百五十卷　外學集四十九卷

僧彙征集七卷

僧棲白詩一卷

僧脩睦　東林集一卷

僧齊己集十卷　蓮社集二卷　白蓮編外集十卷　案李調元《五代全
　詩》作《白蓮集》十一卷。

僧尚顏　供奉集一卷　荆門集五卷

僧曇域　龍華集十卷

杜光庭　廣成集一百卷　壺中集三卷

羅隱　外集詩一卷　江東後集二十卷

右詩文集類，共二千四百七十六卷。

---

　　① “王智興”，當爲“羅紹威”，前已著録。

補遺

徐鍇　歷代年譜一卷

陳彭年　唐紀四十卷

江南別傳一卷　同上。

陳嶽①　唐統紀一百卷

陳嶠　表記奏記百篇

徐鉉校定許氏説文三十卷　考徐鉉表進《校定説文解字》在雍熙三年，不應仍

列入。特五代時人仕宋者頗多，著書歲月或無可考，今姑一槩附編。

高越　治書五十篇

陳岳　正言十卷

吳淑　聶鍊師傅一卷

申天師　服氣要訣一卷

杜光庭　廣成義八十卷

閩壽山寺佛經五千四百八卷

僧贊寧　僧史略三卷

何溥　論氣正訣一卷

唐莊宗燕國夫人伊氏造毘奔耶雜事一卷　案伊氏即伊德妃。

徐鉉　金谷園九局諮一卷　蜀食典一百卷

僧應元　臨書關要一卷

舒疋　山海圖一卷

劉山甫　金谿閒談十三卷

張泊　賈氏談録一卷

樂史　孝弟録十卷　續孝弟録二十五卷

---

①　“嶽”原作“化”，據《新唐書・藝文志》、《宋史・藝文志》改。

陳陶　癡書十卷

徐知諤　閣中集十卷

周延禧　百一詩一卷

皮璨　鹿門家鈔詩一卷

逢居餘　典懿集三十卷

余璀　拾遺集十卷

牛希濟集三十卷歌詩二卷

顔仁卿詩百篇

陳得迴　擬白居易諷諫詩五十篇

僧虛中　碧雲集一卷

僧可朋詩一卷　一名《玉壘集》。

杜工部詩文集二十卷　開運中官書。

李愚　創業功臣傳三十卷

張策　典議三卷　詞制歌詩二十卷　牋表三十卷

敬翔　大梁編遺録三十卷

尹玉羽　武庫集五十卷

補南唐書藝文志

［清］汪之昌　撰

許建立　整理

底本：清光緒二十五年（1899）章鈺手鈔本（整理者按，底本題"汪振民師補南唐藝文志一卷，己亥二月二十九日錄畢"，另有"蟄存"印章。"蟄存"乃章鈺之別號。）

校本：民國二十年（1931）汪氏青學齋刻本

　　五代時，十國並稱，而宋人撰《南唐書》者兩家，非以記載具備，綴緝差易，迥異於並時諸國哉？[①] 然所撰《南唐書》，於史家表、志從略。[②] 近見顧櫰三《補五代史藝文志》一書，搜輯頗廣，其序言："南唐跨有江淮，鳩集墳典，後主開宏文館，置《詩》、《易》博士，於秦淮設國子監。後復置廬山國學，所統州縣亦往往立學。"極言南唐之好文。又云："開寶九年平江南，命太子洗馬呂龜祥，就金陵籍圖書，得書十餘萬卷，分配三館及學士舍人院。其書校讎精審，編帙完具，與他國書不同。而趙元考家藏有澄心堂書三千卷，上有建業文房之印。"即此見收藏藝文在同時諸國中，固必以南唐爲巨擘焉。當夫國勢完盛，曾否撰有簿錄不可知。顧序以《崇文總目》及《宋史》所載，無從區別爲五代諸國所藏書，而顧氏《補志》亦不盡注明作者爲何國人，則以所補者五代史志，所志者五代時藝文，南唐在所不遺，要亦無取乎偏重。特南唐建國，夙稱盛文史之地，其人率崇尚乎文雅，斐然具著作之材，以視五代若別國，舉動懸殊。間就顧氏所志藝文，確係南唐者別出之，未著錄者補入之，分別部居，仍顧氏仿前史經、史、子、集例，其諸舛訛脫漏，則俟專家之訂補。姑以補作《南唐書》者之未備云爾。

　　顧《志》彭玕嘗募求西京石經，厚賜以金，揚州爲之語曰："十金易一筆，百金易一經。"是必揚州備有石經，玕遣使募求，故州人有此語，而揚州時屬南唐，[③]爰以開成石經、刻本十二經冠首。

----

　　① 此句民國二十年（1931）汪氏青學齋刻本（以下簡稱"青學齋刻本"）作"非以文采風流異於並時諸國哉"。

　　② "從"，青學齋刻本作"獨"。

　　③ 青學齋刻本此句下有"馬書魯崇範九經子史，世藏於家"十三字，文義完足，當據補。

周易九卷

尚書十三卷

毛詩二十卷

周禮十二卷

儀禮十七卷

禮記二十卷

春秋左氏傳三十卷

公羊傳十二卷

穀梁傳十二卷

論語十卷

孝經一卷

爾雅三卷

春秋纂要十卷　　姜虔嗣撰　　據《崇文總目》補,《宋志》作“《三傳纂要》二十卷”,《通考》作“纂例”。

折衷春秋三十卷　　陳岳撰　　《唐書藝文志》注:“鍾傳,江西從事。”據補。

　　右經部

顧《志》史部別出“霸史”,按南唐即史家所謂偏霸者,故不復以“霸史”、“雜史”爲別云。

楊吳氏本紀六卷　　陳濬撰

揖讓録七卷　　陳濬撰　　《總目》作“陳岳”。

吳史　　陳濬撰　　據陸書《高越傳》補。

吳録二十卷　　徐鉉、高遠、喬舜、潘佑等撰

烈祖實録二十卷　　高遠撰

元宗實録十卷　　高遠撰

南唐開基志十卷　　王顏撰　　《總目》作“烈祖開基録”。

江南録十卷　　徐鉉、湯悦撰

南唐近事一卷　鄭文寶撰^①　《宋藝文志》"三卷"。

江南野史一卷　鄭龍袞撰^②

江表志一卷　鄭龍袞撰^③　《宋志》"二卷"。

南亳近事一卷　鄭文寶撰　據《宋志》補。^④

唐春秋三十卷　郭昭慶撰

大唐實錄撰聖記一百二十卷　陳岳撰

大唐補記三卷　程匡撰　《文獻通考》作"程匡柔"。

江南別錄　陳彭年撰　據《十國春秋》補。

唐紀四十卷　陳彭年撰　據《十國春秋》補。

三朝革命錄三卷　徐廣錄　據《總目》補,錢侗補遺引《輿地碑目》南唐徐廣云云。

元類一卷　沈汾撰　據《總目》補。《四庫全書提要》南唐沈汾《續仙傳》云云。

中朝故事二卷　尉遲偓撰

閩王審知傳一卷　陳致雍撰

歷代年譜　徐鍇撰　據焦竑《國史經籍志》補。

運歷圖三卷　龔穎撰

史稿雜著一百卷　高遠撰

十九代史目二卷　舒雅撰

古今語要十二卷　喬舜撰　《宋志》列"史鈔類",據補。

---

① "文",原誤作"仁",據《宋史·藝文志》、《直齋書錄解題》改。

② 按《宋史·藝文志》史部霸史類:"龍袞《江南野史》二十卷。"衢州本《郡齋讀書志》卷七:"《江南野史》二十卷,右皇朝龍袞撰。""鄭"字蓋誤衍。

③ 按《宋史·藝文志》史部霸史類:"鄭文寶《南唐近事集》一卷,又《江表志》二卷。"《直齋書錄解題》卷五:"《江表志》三卷,鄭文寶撰。"《江表志》爲鄭文寶所撰無疑。顧櫰三《補五代史藝文志》:"《江南野史》一卷,鄭龍袞撰。《江表志》一卷,同上。"此條汪氏誤襲顧《志》。

④ 本書"小説類"亦有"《南亳近事》一卷,吳淑撰,據《宋志》補"。按《宋史·藝文志》無《南亳近事》一書。

右史部

江南制集七卷

從軍橐二十卷　商文珪撰

諫奏集七卷　張易撰

諫書八十卷　張易撰　據《玉海》補。

大唐直臣諫奏七卷　張易編　據《總目》補。

軍書十卷　王紹顏撰

江西表狀二卷　黃台撰

汪台符民間利害書　據馬書補。

蕭儼諫疏　具詳馬、陸兩書，據補。

張沁十事書　據《江表志》補

右表狀類

刑律統類十卷　姜虔嗣撰

江南刪定條三十卷

昇元格令條八十條

周載　齊職儀　據《十國春秋·徐鍇傳》“後主嘗得周載《齊職儀》”補。

五禮儀鑑　曲臺奏議二十卷　陳致雍撰　《總目》“《曲臺奏議》二十卷”。

五禮鏡儀六卷　陳致雍撰

寢祀儀一卷　陳致雍撰

州縣祭祀儀一卷　陳致雍撰

郊望論一卷　周彬撰

玉璽記一卷　鄭文寶撰　據《宋志》補。

右格令儀注類

霓裳譜一卷　後主周后撰

南唐二主詞一卷

陽春詞　馮延巳撰

小胡笳十九拍一卷　蔡翼撰　據《總目》補。

琴調一卷　蔡翼撰　據《總目》補。

古樂府　據《十國春秋·徐鍇傳》注"江南吳淑校理《古樂府》"補。

霓裳羽衣曲譜　馬書《周后傳》："唐之盛時,《霓裳羽衣》最爲大曲,罹亂其音遂絕,後主獨得其譜。"

　　右聲樂類

說文解字繫傳四十卷　徐鍇撰

說文解字韻譜十卷　徐鍇撰

通輯五音一千卷　徐鍇撰

續古闕文一卷　孫晟撰

說文五義三卷　吳淑撰　據《玉海》補。

中正曆經一卷　陳承勳撰

中正曆立成九卷

保大齊政曆三卷　焦竑《國史經籍志》"十九卷"。

　　右小學曆算類

格言五卷格言後述三卷　韓熙載撰

皇極要覽十卷　韓熙載撰

質論一卷　徐鉉撰

帝王指要三卷　徐融撰

理訓十卷　宋齊邱撰

法語二十卷　劉鶚撰

通論五卷　劉鶚撰　據《總目》補。

治書五十篇　郭昭慶撰

經國治民論二卷　郭昭慶撰

金樓子　《楓窗小牘》：“内庫書中，《金樓子》有李後主手題。”則南唐夙有此書，據補。

　　　右儒家類

三家老子音義一卷　徐鉉撰

新增玉管照神經十卷　宋齊邱撰　顧《志》“玉管照神局”，不著作者，疑即此。

天華經三卷　宋齊邱撰

問政先生聶君傳　徐鍇撰

太元經注三卷　張易撰

譚子化書六卷　譚峭撰

續仙傳三卷　沈汾撰　據《總目》補。

練師傳一卷　吳淑撰　據《總目》補。

異僧記一卷　吳淑撰　據《宋志》補。

舍利塔記一卷　高越撰

論氣正訣一卷　何溥撰　據《十國春秋》補。

揚州孝先寺碑　殷崇義撰　據《十國春秋》補。

金字心經一卷　黃保御施

禁絕三篇　據《十國春秋》本傳云“多天文、孫、吳之術”補。

華嚴合論　李長者撰　據《援鶉堂筆記》四十九卷注“李長者即李通玄，南唐時人，見晁文元《郡齋記》”補。[①]

歲時廣記一百二十卷　徐鍇撰

靈城精義二卷　何溥撰　據《提要》補。

續傳信方十卷　王顏撰　據《總目》補。

---

　　① 《續修四庫全書》影印清道光姚瑩刻本《援鶉堂筆記》卷四十九曰：“李長者即李通玄，南唐時人，晁文元極推其《南華合論》，見《郡齋記》。”

墨經一卷　李廷珪撰

墨圖一卷　李廷珪撰

金谷園九局譜一卷　徐鉉撰　據焦《志》補。

棊經圖義例一卷　徐鉉撰　《總目》“棊圖義例”，疑即此。

棊勢三卷　徐鉉撰

繫蒙小葉格一卷　後主周后撰

偏金葉子格一卷　後主周后撰

小葉子例　後主、周后撰

射書五卷　徐鉉撰

射書十五卷　徐鍇、歐陽陌撰　據《總目》補。

昇元廣濟方三卷　華宗壽撰　此條在《墨經》上。

　　右老釋雜家技術類

海外使程廣記三卷　章僚撰

方輿記一百三十卷　徐鍇撰

山海經圖　舒雅撰

豫章記三卷　徐廣撰　據《總目》補。

南楚新聞　尉遲樞撰①

晉安海物異名記二卷　陳致雍撰　據《總目》補。

金陵六朝記二卷　尉遲偓撰　見《開有益齋讀書志》，據補。

　　右輿地類

雜說二卷　後主撰

聲書十卷　沈顔撰

解聲書十五卷　沈顔撰

---

①　“樞”，原誤作“偓”，據《新唐書·藝文志》和《宋史·藝文志》改。

摭言十五卷　何晦撰　據《宋志》補。

廣摭言十五卷　何晦撰

癖書一卷　陳陶撰　據《北夢瑣言》補。

金華子新編三卷　劉崇遠撰

忠烈圖一卷　徐溫客纂輯

孝義圖一卷　徐溫客纂輯

江淮異人録一卷　吳淑撰

秘閣閒譚五卷　吳淑撰　據《十國春秋》補。

南亳近事一卷　吳淑撰　據《宋志》補。①

賈氏談録一卷　張泊撰　據《十國春秋》補。

稽神録六卷　徐鉉撰　《總目》“十卷”。

賓朋宴語一卷　邱旭撰

報應録三卷　王轂撰

五代登科記一卷　徐鍇撰

釣磯立譚二卷　史虚白撰

文傳十三卷　宋齊邱撰

　　　右小説類

群書麗藻目録共一千卷目録五十卷　朱遵度撰　據《玉海》補。

鴻漸學記一千卷　漆經數卷　據焦氏《筆乘續》補。

古今語要十二卷　喬舜封撰

桂香詩一卷　喬舜封撰　《宋志》作“喬舜”。

古今國典一百卷　徐鍇撰

四庫韻對十八卷　陳鄂撰

十經韻對十二卷　陳鄂撰

---

　　① 按《宋史·藝文志》無《南亳近事》一書。

詩格一卷　鄭谷、僧齊己、黃損同輯　據《十國春秋‧孫魴傳》,谷避亂江淮,故錄入之。

賦苑二百卷目一卷　徐鍇撰

廣類賦二十五卷　徐鍇撰

靈仙賦二卷　徐鍇撰

甲賦五卷　徐鍇撰

賦選五卷　徐鍇撰

唐吳英秀集七十二卷　江文蔚輯

桂香賦選三十卷　江文蔚輯

江南續又元集十卷　劉吉編　據《總目》補。

臨沂子觀光集三卷　王轂編　據《總目》補。

史傳文集三百卷　毛炳鈔　據《十國春秋》補。

雜古文賦一卷　許洞、徐鉉撰　據《宋志》補。

　　右總集類

後主集十卷　集略七卷　詩一卷

徐融集一卷

應用集三卷

陳陶文集十卷　詩一卷

徐寅賦一卷　探龍集一卷　據焦《志》補。

郭蕡體物賦集一卷　據焦《志》補。

邱明賦一卷　據焦《志》補。

倪曙賦一卷　據焦《志》補。

江文蔚集三卷

江翰林賦三卷　江文蔚撰　據《總目》補。

閣中集十卷　徐知諤撰　據《十國春秋》補。

金鰲集一卷　孟賓于撰

邵拙文集三百卷

廬嶽集一卷　邵拙撰

田霖四六一卷

殷文圭集一卷

冥搜集二十卷　殷文圭撰

登龍集十五卷　鏤冰集二十卷　殷文圭撰

筆耕詞二十卷　殷文圭撰

龍吟集三卷　馮涓撰　據焦《志》補。

長樂集十卷　馮涓撰　據焦《志》補。

江爲集一卷

伍喬集一卷

王轂集一卷　詩集三卷　據《總目》補。

孫晟集三卷

小東里集三卷　游恭撰

廣東里集二十卷　游恭撰

游恭集一卷　據焦《志》補。

芸閣集十卷　郭昭慶撰

陵陽集五卷　沈顔撰

安居雜著十卷　程柔撰

祀元集三卷　宋齊邱撰

宋齊邱集四卷　據《總目》補。

鳳苑集三卷　孟拱辰撰

儗谣十卷　喬舜撰

孫魴詩一卷　《總目》“三卷”。

邱旭詩一卷　賦一卷

徐鍇集十五卷

徐鉉集三十二卷

湯悦集三卷

滎陽集二十卷　潘佑撰　　《總目》作“潘舍人文集”。

李建勳集二十卷　詩一卷

高越賦一卷

儗議集十五卷　韓熙載撰

定居集二卷　韓熙載撰

劉洞詩二卷

毛炳詩集一卷

章震詩十卷　據焦《志》補。

廖光凝詩七卷　據焦《志》補。

李叔文詩一卷　　據焦《志》補。

李明詩一卷　據焦《志》補。

郭鵬詩一卷　據焦《志》補。

顏詡詩集一卷

沈彬詩集二卷　《宋志》“《閒居集》十卷”。

碧雲集二卷　李中撰　《總目》“三卷”。

陳黯集三卷　《總目》“文集”。

釣鼇集一卷　劉吉撰

左偃集一卷　《宋志》“鍾山集”。

雲臺編三卷　鄭谷撰　據《總目》補。

宜陽外集一卷　鄭谷撰　據《總目》補。

張泊集五十卷　據《總目》補。

國風正訣一卷　鄭谷撰　據《宋志》補。

張沁詩一卷　據《五代詩話》補。

覽古詩二百章　朱存撰　據《十國春秋》補。

怨詞三十篇　胡元龜撰　據《十國春秋》補。

東林集一卷　僧修睦撰　《文獻通考》“死朱瑾之難”,據補。

廖融詩二卷

梅嶺集五卷　成文幹撰　據《總目》補。

梅領集一卷　成彥雄撰　據《文獻通考》補。

大紀賦一卷　沈顏撰　據《總目》補。焦《志》作"九紀"。

金陵古蹟詩四卷　據焦《志》補。

　　右別集類

　　右南唐藝文，都若干種，分類第次，悉依顧《志》，顧《志》所未著錄，則據書別補之，而注明所由來。就南唐言，藝文雖不止斯，約已得十之五六。惟金石文字亦屬藝文，爲顧《志》獨載蜀石經，得毋以所志賅五代，未略搜輯歟？此《志》專述南唐，體例與顧《志》微別，而南唐石刻之見《寶刻類編》、《輿地碑目》及《金石萃編》者，歷歷可稽，爰除題名若干文與佛經等，凡屬碑記，補錄篇末，以備參考。

中主　四祖塔院疏

題觀音巖

劉津　婺源都制置新城記

宋齊邱　風臺山詩

潘仁煦　霍邱修羅漢記

韓王知證　重修東林寺記　太乙真人廟記

孟拱辰　多寶塔記　《碑目》作"佛塔"。

吕延真　重復練塘銘　復練塘頌　疑即《碑目》之"南塘練湖碑"。

沈彬　方等寺經藏記

劉日新　丹霞寺新泉記　亦見《碑目》，無撰人。

崔行潛　通智大師碑

希聲　通智大師塔銘

宋齊邱　光誦長老碑

陳覺　簡寂觀新壇記　<small>亦見《碑目》，作"新建石壇"。</small>

孫某　中興佛窟寺碑　<small>名缺。</small>

方山寶華寺宮碑　<small>撰人缺。</small>

殷崇義　祈仙觀碑

張獻　紫陽宮石磬銘

游士若盧　古城縣設水陸宴會記　<small>亦見《碑目》。</small>

周惟簡述壽春唐金剛記

徐鉉　涇縣文宣王廟碑　<small>亦見《碑目》，作"孔子廟"。</small>　貞素先生栖霞碑　義興縣興道觀北極殿碑　張靈官記　<small>亦見《碑目》。</small>義門陳氏書堂記

延祚觀碑

峰山廟碑

紫極宮碑　<small>亦見《碑目》。</small>

題名徵君墓詩

孟文益　辟支佛大廣現身記

殷崇義　張懿公碑

徐鉉　蔣莊武帝廟碑　<small>《碑目》作"蔣帝"。</small>

陳高　新建漢天師廟碑

徐吉　巢湖南泰寺佛殿功德碑

韓熙載　清涼寺悟空禪師碑

金剛藏經殿碑

朱恂　重修仰山廟碑

徐鍇　文宣王新廟記

李徵古　李氏書堂記　<small>亦見《碑目》，無言"李氏"二字。</small>

徐鉉　南郡太守周將軍廟記　<small>亦見《碑目》，作"周將軍碑"。</small>　雙溪高公亭記　<small>亦見《碑目》。</small>龍門山乾明禪院碑　許真人井銘　<small>亦見《碑目》。</small>玄博大師王君碑　<small>《碑目》作"元傅"。</small>

湯悅　慧悟禪師真贊碑　《碑目》"慧悟師冲照寫真贊"。

殷觀　筠州關城記　方等寺潘氏重修捨經藏殿記

馮延巳　廬山開光禪院記

沈濬　簡寂觀碑

王路　改修簡寂觀齋堂記

徐憲　簡寂觀修石路碑記　《碑目》作"修立"，無"碑"字。

彭濆　東林寺上方禪師舍利塔記

王元　題葛公碑陰字

賈穆　青元觀九天使者功德記

徐鉉　紫陽觀碑

任德元　重建魏夫人仙壇碑

徐鉉　劍池頌

僧無業　牛首山祖堂幽栖禪院佛殿記

僧智禪　匡道禪師碑

楊弼　彌勒菩薩上生殿記

契恩　祈澤寺碑

　　右據《寶刻類編》補。

徐鍇　晉右將軍曹橫墓碑

練湖碑　《云籠漫鈔》："南唐時立。"

徐鉉　武烈大帝廟碑

僧自西　重光院銘

僧崇肇　光瑛院瑞象記

丁道宏　招隱院鐘樓記

徐鉉　紫極宮殿司命殿記　追封慶王碑

青元觀殿碑

王師簡　下泊宮記

徐鉉　元素先生碑　唐許長史丹井銘

孟拱辰　開元寺大殿記　東禪院法華經記

徐鍇　歸真觀碑

漢洞院保大中碑

朱鞏　欽道觀記

徐鍇　康濟廟記

邊鎬　唐能仁寺菩薩碑記

葉寀　雙溪觀記

宋浼　靈溪觀碑

韓熙載　真風觀碑

徐鉉　白雲廟石刻

後主　報恩院寺碑

徐鉉　廣化院碑

韓熙載　龍沙章江院碑

陳用寬　寶雲寺鐵鑄菩薩記

徐鉉　昭德觀碑記

保大十年新建筠州碑

徐鍇　朱陵觀碑

先主讀書齋石刻

張翊　禾山大舜二妃廟碑

紫陽觀新興佛碑

徐鍇　白鶴觀碑

衷愉　修崇福寺碑　食堂記

後主重陽詩

徐鍇　施造石磬銘　景德觀記

徐鉉　天慶觀記

韓熙載　盱江亭記

保大重修巢湖太姥廟記

李宗　開元寺碑陰記

　　右據《輿地碑目》補，已見《寶刻類編》者不重出。

謙公安公構造殘碑記

大明寺殘碑

龍興寺鍾款識

僧契撫　本業寺記

　　右據《金石萃編》補　《新五代史補注》録汪台符汪王廟記，記南唐石刻者，均未之及，故特著之。

光緒戊戌三月，從鶴舲行篋借得先師手稿，己亥二月堅孟手録。

《宋史·徐鉉傳》："鍇所著有文集、家傳、《方輿記》、《古今國典》、《賦苑》、《歲時廣記》。"

喬匡舜所撰集七十餘卷　徐鉉集，喬墓志。[①]　**文獻太子詩集**　徐集。[②]

　　右二條係汪師別傳所記

---

　　①　《徐騎省集》卷十六有《唐故朝請大夫守尚書刑部侍郎柱國賜紫金魚袋喬公墓志銘》。

　　②　《徐騎省集》卷十八有《文獻太子詩集序》。

二十五史藝文經籍志考補萃編總目

第 24 卷

　　明史藝文志　　清·萬斯同

第 25 卷

　　明書經籍志　　清·傅維鱗

　　明史藝文志　　清·張廷玉

第 26 卷

　　皇朝經籍志　　清·黃本驥

　　大清國史藝文志　　清·譚宗浚

第 27 卷

　　清史稿藝文志　　章鈺　　吳士鑑　　朱師轍